Histoire religieuse du Mont-Saint-Michel

Jean-Pierre Mouton

Histoire religieuse du Mont-Saint-Michel

écrits

Editions OUEST-FRANCE

En hommage aux Pères Bruno, André et François, et à Sœur Marie-Thérèse, pour leur fidélité.

INTRODUCTION

Un rocher dans une baie isolée, un petit groupe de moines, une foi bien trempée, une imprévisible alchimie. C'est de là que naquit le Mont-Saint-Michel, dont l'histoire a été racontée tant de fois qu'elle semble une évidence, à force d'avoir été répétée. Tout aurait démarré en 708, sous l'impulsion de saint Michel qui poussa l'évêque d'Avranches Aubert à construire un sanctuaire sur le mont Tombe. Le prélat y fonda un collège de douze chanoines qui assurèrent le service de Dieu et y accueillirent les premiers pèlerins. L'usure du temps entraînant la décadence, les successeurs des premiers priants délaissèrent leur mission au point que la nécessité de leur remplacement devenait une évidence. C'est alors que le duc Richard Ier de Normandie fit venir un groupe de moines bénédictins sous la conduite de Mainard, abbé de Saint-Wandrille. Ils s'installèrent en lieu et place des anciens desservants en 966. Rapidement leur œuvre prospéra et les amena à bâtir peu à peu le monastère que nous connaissons. Ils se maintinrent dans les lieux jusqu'à la Révolution. Après que les religieux furent chassés, le monument devint une propriété de l'État.

Les travaux de restauration entrepris à la fin du XIXe siècle furent l'occasion de recherches assidues qui permirent de mieux connaître le passé du monument et d'en fixer un cadre historique qui s'imposa vite comme un invariant. Certains aspects de la vie de l'abbaye nous semblent cependant n'avoir pas retenu suffisamment l'attention des chercheurs. En particulier, le fait – admis pourtant comme un présupposé, mais sans réelles conséquences – que l'abbaye fut construite par des gens qui voulaient y vivre selon les principes de la foi chrétienne, dans sa version la plus radicale. Or, ce sont ces convictions qui, en dernière analyse, ont fait naître le monument et l'ont maintenu vivant tout au long de son histoire. L'abbaye est d'abord le fruit d'une aventure spirituelle dont nous nous proposons de suivre les étapes.

Il nous semble essentiel de repartir des sources de l'histoire montoise. Élaborées soit pour servir de support à la liturgie des fêtes de l'archange Michel, soit pour revendiquer et défendre un droit qui paraissait imprescriptible aux moines, leur genre littéraire particulier obéit à des règles qui ne nous sont plus spontanément compréhensibles. Elles ne deviennent signifiantes que si on tient le plus grand compte de leur référent biblique, qui était familier à leurs auteurs comme à leurs auditeurs. Des réseaux d'images jouent ici, qui, sous des aspects concrets, désignent, en fait, des réalités de foi, des conceptions théologiques. Cette manière de s'exprimer est constante dans le Nouveau Testament et les auteurs montois en sont imprégnés. Cela nécessite de la part du lecteur moderne un travail d'exégèse précis et rigoureux.

En faisant droit ainsi au contenu de foi qui conduisait les moines à écrire, on prendra vite conscience que c'est à une lecture radicalement critique que nous sommes amenés. Cela permettra, nous l'espérons, de mieux distinguer ce qui relève des interprétations théologiques et ce qui ressortit des souvenirs dont les textes entendent faire mémoire. Trop de merveilleux se mêle encore aux récits qui s'efforcent pourtant de fixer, dans un cadre général, les commencements de l'abbaye. Les recherches universitaires qui se sont multipliées ces dernières années offrent une base fiable. Depuis une dizaine d'années, la *Revelatio ecclesiae sancti Michaelis* a fait l'objet d'études approfondies, sous la direction des professeurs Pierre Bouet et Olivier Desbordes de l'université de Caen[1]. Nicolas Simonnet[2], pour sa part, l'a relue et a grandement renouvelé le dossier historique, en affinant les analyses autour de saint Aubert et de Bainus. Ce dernier est peut-être plus déterminant qu'il ne semblait jusqu'alors dans l'histoire montoise.

Nous suivrons alors une communauté monastique cherchant à saisir les enjeux, à chaque époque, de ses efforts constants pour traduire dans les faits l'idéal qu'elle professe en s'appuyant sur la règle de saint Benoît. Des études sérieuses ont été menées, au XVIIe siècle, par les Mauristes, et à partir de la fin du XIXe siècle, principalement par Léopold Delisle et Eugène de Robillard de Beaurepaire[3]. Elles ont abouti aux premières éditions modernes des documents montois les plus importants. Ces publications permettent de s'appuyer sur des textes, certes imparfaits, mais relativement sûrs. Il faut mentionner encore le travail remarquable réalisé par Pierre Bouet et son équipe de chercheurs, qui a abouti très récemment à la publication du Cartulaire de l'abbaye[4]. Parmi les architectes en charge des restaurations, certains eurent soin d'étudier

1. BOUET, Pierre, DESBORDES, Olivier, *Culte et pèlerinages à saint Michel en Occident : les trois monts dédiés à l'Archange*, École française de Rome, 2003, n° 316.

2. SIMONNET, Nicolas, « La fondation du Mont-Saint-Michel d'après la *Revelatio ecclesiæ sancti Michaelis* », in *Annales de Bretagne et des Pays de Loire*, Presses universitaires de Rennes, 1999, t. 106, n° 4, p. 7-22.

3. Léopold Delisle édita la *Chronique* de ROBERT DE TORIGNI (Caen, 1873) et Eugène de Robillard de Beaurepaire, l'œuvre de LE ROY Thomas : *Les curieuses recherches du Mont-Saint-Michel* (Caen, 1878).

4. BOUET, Pierre, DESBORDES, Olivier, POULLE, Emmanuel, *Cartulaire du Mont-Saint-Michel*, fac-similé du manuscrit 210 de la Bibliothèque municipale d'Avranches, Les Amis du Mont-Saint-Michel, 2005.

l'abbaye : Paul Gout[1] produisit un volumineux ouvrage qui demeure incontournable, même si quelques-unes de ses conclusions doivent être prises avec précaution, voire remises en question. Les célébrations du Millénaire monastique en 1966-1967 furent, elles aussi, l'occasion de publier des monographies qui ont largement contribué à revisiter les acquis de l'histoire montoise[2]. Un dernier volume est venu, en 1993, compléter la collection et apporter des éclaircissements précieux sur des questions encore controversées. Une mention particulière doit aller à l'œuvre du chanoine Bossebœuf[3] qui, avec les moyens de son époque, fut un des premiers à tenter de retracer l'histoire de la communauté monastique comme une donnée essentielle à la compréhension de l'abbaye montoise. C'est dans la filiation de cette démarche que nous voulons inscrire notre propre lecture et formuler quelques hypothèses.

1. GOUT, Paul, *Le Mont-Saint-Michel, histoire de l'abbaye et de la ville. Étude archéologique et architecturale des monuments*, Armand Colin, Paris, 1910, Culture et Civilisation, Bruxelles, 1979.

2. *Millénaire monastique du Mont Saint-Michel,* Lethielleux, 1967-1993, 5 volumes.

3. BOSSEBŒUF, Louis, *Le Mont-Saint-Michel au péril de la mer. Son histoire et ses merveilles*, Tours, 1910.

CHAPITRE I

LES COMMENCEMENTS

Selon la tradition communément admise, Aubert, l'évêque d'Avranches, vit trois fois l'archange saint Michel pendant son sommeil. La première révélation fut inopinée, ou providentielle ; la deuxième, réclamée par le saint homme, éprouva les esprits ; la troisième, en quelque sorte surérogatoire, marqua « plus profondément »[1]. Elle fut décisive et donna des signes manifestes de la volonté divine. Aubert partit alors pour le mont Tumba, accompagné d'une foule de fidèles, afin d'y fonder un sanctuaire en l'honneur de celui qui lui était apparu. Sur place, il fit nettoyer le terrain qui serait utilisé pour édifier l'église. Pour connaître les dimensions et l'emplacement exact de l'édifice, le prélat eut, par deux fois encore, recours à l'archange. Il sut ainsi que l'église couvrirait la surface qu'avait piétinée un taureau qui, à la suite d'un larcin, avait été attaché au sommet du Mont ; puis il obtint que la rosée, à l'image du miracle qui s'était produit au temps de Gédéon[2], recouvrît le sol destiné au sanctuaire à venir. Au milieu du chantier, deux rochers faisaient encore obstacle aux travaux. Malgré tous les

1. BOUET, Pierre, DESBORDES, Olivier, *Culte et pèlerinages à saint Michel en Occident : les trois monts dédiés à l'Archange,* École française de Rome, 2003, n° 316, p. 18.

2. Jg 6.

efforts, on n'avait pu les déplacer. La même nuit, dans le village d'Itius, Bain, un homme qui avait douze fils et jouissait d'une grande estime parmi les siens, eut, lui aussi, une apparition lui ordonnant de rejoindre l'évêque. Dès son arrivée, il s'attaqua aux rochers importuns et les fit rouler dans la grève, sans aucun effort. Ainsi put-on élever une modeste église, capable de contenir une centaine de personnes. Elle devait, par sa forme, ressembler à celle du mont Gargan, dans les Pouilles, où se trouvait le tout premier sanctuaire dédié à saint Michel en Occident. C'est là d'ailleurs qu'Aubert envoya des frères ayant pour mission de ramener des témoignages, qui serviraient de reliques pour la dédicace du sanctuaire montois. Le voyage dura un an. Quand les frères revinrent avec un morceau du manteau que l'archange avait laissé au Gargan et un fragment de marbre sur lequel il avait posé le pied, une surprise les attendait : ils avaient quitté un pays couvert d'une épaisse forêt, ils trouvaient maintenant un rocher entouré par la mer. Tout au long du retour, de nombreux miracles s'étaient accomplis, qui prouvaient la légitimité de l'entreprise de l'évêque. Aubert procéda alors à la dédicace du Mont et installa dans le nouveau sanctuaire un collège de douze clercs chargés d'assurer le culte. Il les dota de deux terres qu'il prit sur les biens de l'Église d'Avranches : les villages d'Itius et de Genêts. Tel est le récit reçu. Relativement simple et cohérent, il est le résultat de relectures multiples et simplificatrices d'un même texte, celui qui nous est connu sous le titre : *Revelatio ecclesiæ sancti Michaelis*.

La version la plus ancienne de ce texte se trouve dans un lectionnaire copié au Mont au Xe siècle[1]. Cet ouvrage était destiné à être lu pendant l'office des matines aux

1. Bibliothèque municipale d'Avranches (BMA), Ms. 211. Cf. DOSDAT, Monique, *L'enluminure romane au Mont-Saint-Michel, X^e^-XIIe siècle*, Éditions Ouest-France, Rennes, 2006, p. 45-46.

fêtes de saint Michel : celle du 8 mai, qui commémore l'apparition de l'archange au mont Gargan ; celle d'automne, le 29 septembre, qui commémore la solennité romaine ; et enfin celle de la dédicace du mont Tumba à saint Michel, le 16 octobre. Notre texte était proclamé solennellement chaque année, en ces moments particuliers et essentiels du cursus liturgique où la communauté se mettait elle-même en scène. Il était la version officielle de l'histoire du monastère et faisait partie intégrante de son identité, reliant le passé au présent dans un mouvement qui assurait une légitimation de l'avenir. À ce titre, il était destiné à être répété chaque année, mais aussi, à chaque moment décisif de la vie du moine et lors des actes importants de l'institution. Sous l'effet d'une histoire en constante gestation, ce texte référent était susceptible de nouvelles élaborations, à des moments cruciaux de l'évolution de la communauté. À sa lecture, il y a à apprendre sur les commencements, certes, mais aussi, et probablement davantage, sur la communauté qui exprimait sa singularité en écrivant son texte et en le réécrivant, selon le sens qu'elle se donnait à elle-même.

La *Revelatio,* dans la version du lectionnaire, est découpée en huit leçons, suivant l'usage liturgique des moines bénédictins. Lors des solennités, en effet, l'office des matines comportait dix lectures entrecoupées de psaumes. Les huit sections de notre texte étaient complétées par un sermon, tiré d'auteurs spirituels qui figurent dans le même manuscrit, et par l'évangile du jour. Cette constatation amène à lire la *Revelatio*, non comme un document qui aurait le souci d'exactitude historique que nous y recherchons, mais comme le texte de référence d'une communauté qui, dans la célébration liturgique, se disait à elle-même la vérité de son histoire. Daniel Marguerat fait une remarque qui, au delà des premières générations chrétiennes, s'applique bien à ceux qui entreprirent de fixer les origines montoises : « Le rapport que les premiers chrétiens nouent avec le passé est dialectique : un souci de *fidélité à l'histoire* cohabite avec une *liberté interprétative* lorsqu'il s'agit de déployer sa signification dans le présent »[1]. Bernard Merdrignac précise de son côté : « Le propos des hagiographes est avant tout d'actualiser, à des fins édifiantes, l'Histoire sainte caractérisée par les signes visibles de Dieu et de ses saints. Leurs productions n'ont donc pas une finalité historique, mais prennent un sens "suprahistorique" ».[2] Ainsi, le moine qui entreprend l'écriture des origines de sa maison est un auteur particulier : il met son talent au service de sa communauté pour produire un discours qui doit montrer comment les événements qu'il rapporte sont le déploiement, dans l'éphémère, de l'éternité inaugurée en Jésus-Christ. Pour ce faire, il lui faut adopter comme modèle l'Écriture et les Pères monastiques.

L'auteur montois devait donc tenir compte des traditions orales qui circulaient autour de lui, en utilisant principalement des images bibliques qui lui étaient familières par la pratique quotidienne de la liturgie et de la *lectio divina*. Il retravailla ainsi le passé du Mont au moyen de références parlantes à ses lecteurs et à ses auditeurs, souvent implicites d'ailleurs tant elles étaient un langage commun. Le texte ainsi produit avait une valeur pédagogique. Il situait et définissait ce qui s'était passé depuis le commencement, comme un accomplissement de l'œuvre de Dieu à laquelle la communauté, au moment même où elle faisait sien ce texte, donnait un visage.

Ainsi, la *Revelatio* commence par une longue justification théologique concernant la présence du culte de l'Archange dans cette région inattendue de l'Occident.

1. MARGUERAT, Daniel, *Histoire du christianisme*, Desclée, 2000, t. I, p. 14.

2. MERDRIGNAC, Bernard, *La vie des saints bretons durant le haut Moyen Âge*, Éditions Ouest-France, Rennes, 1993, p. 11.

L'Archange y est peint comme l'intermédiaire privilégié entre le monde d'en haut et celui de la terre, « l'un des sept qui se tiennent en présence de Dieu », selon une citation, d'ailleurs détournée, de Tb 12, 15 au profit de Michel. Notre auteur adopte ici une cosmologie qui émanait des milieux apocalyptiques juifs, selon lesquels la transcendance de Dieu est tellement absolue qu'elle requiert, pour se manifester, l'intervention d'êtres intermédiaires, purement spirituels : les anges. C'est « avec le concours des esprits qui Lui sont soumis que Dieu manifeste son pouvoir sur toutes les régions du monde qu'Il a créées »[1].

Quant au vocable « Michel », il vient de l'hébreu *mi* : qui ?, *qa* : comme et *El* : le nom divin. Il signifie : « Qui est comme Dieu ? » C'est le sens que la tradition latine a toujours retenu en le traduisant par l'expression : « *Quis ut Deus ?* » Il pourrait cependant être traduit différemment. On peut considérer le pronom hébraïque *mi* non pas comme un interrogatif, mais comme un relatif ; Michel signifie alors : « Celui qui est comme Dieu »[2]. Ce nom apparaît dix fois dans l'Ancien Testament comme patronyme, toujours dans des listes de noms, sans aucune autre précision. Il faut attendre les livres de Tobie, de Daniel, et celui d'Hénoch, un apocryphe qui leur est contemporain, à l'extrême fin de la période vétérotestamentaire, pour voir des anges particularisés sous un vocable qui les désigne par une mission reçue de Dieu : Gabriel l'« Homme de Dieu », Raphaël « Dieu guérit »[3], Ouriel « la Lumière de Dieu » et enfin Michel. L'appellation de ce dernier induit une comparaison qui rappelle, dans les récits de la Création, l'homme à

1. BOUET et DESBORDES 2003, *op. cit.*, *Revelatio*, p. 16.

2. Voir l'étude tout à fait éclairante de sœur PERROT, Marie-Thérèse, « La figure de saint Michel dans les Écritures », *Sources vives* » n° 139, mai 2008.

3. Sœur PERROT, Marie-Thérèse, *ibid.*, « Raphaël est préposé à toutes les maladies et à toutes les plaies des humains », « Gabriel est préposé à toute puissance » (*1 Hénoch* 40, 9).

l'image de Dieu. L'auteur montois semble être sensible à cette réminiscence quand il désigne Michel comme « également préposé à la garde du Paradis »[1]. Il l'assimile alors moins aux chérubins de Gn 3, 24 qu'au passeur « chargé d'introduire dans le séjour de la paix les âmes de ceux qui sont sauvés »[2].

Curieusement, notre théologien ne retient pas les mentions de Michel dans le Nouveau Testament : ni celles de l'Apocalypse, ni celle de la lettre de Jude. Il est vrai qu'il ne cherche pas à faire ici un traité, mais à justifier la présence de Michel au Mont et à expliquer les raisons qui ont conduit à transférer la souveraineté angélique d'Orient en Occident. C'est le livre de Daniel qui sert de point de départ à son raisonnement. « On lit en effet dans la vision du prophète Daniel cette parole qu'un ange lui confia : "Personne ne vient à mon aide dans toutes ces tâches, si ce n'est l'archange saint Michel, votre prince." »[3] Cette citation de Dn 10, 21 montre Michel comme le prince protecteur du peuple juif. Son action devrait s'exercer sur Israël, mais la non-reconnaissance, par le peuple juif, de Jésus comme Messie universalise l'élection divine en direction des Gentils, comme en témoigne la diffusion du message évangélique dans le monde romain occidental. Pour trouver une confirmation historique de sa pensée, notre auteur recourt à l'œuvre de Flavius Josèphe. Dans *La guerre des Juifs*, Flavius, qui a décrit longuement comment fut annéanti le sanctuaire du second temple à Jérusalem, en 70 de notre ère, tente une explication en affirmant que des signes avant-coureurs avaient annoncé l'imminence du malheur : « Ce que je vais raconter paraîtrait même une fable, si des témoins ne m'en avaient informé ; les malheurs qui survinrent

1. BOUET et DESBORDES 2003, *op. cit.*, lect. I, p. 16.
2. *Ibid*.
3. *Ibid*. Notre auteur ajoute au texte biblique « *archangelus* » pour qualifier Michel.

ensuite n'ont que trop répondu à ces présages. On vit donc dans tout le pays, avant le coucher du soleil, des chars et des bataillons armés répandus dans les airs, s'élançant à travers les nuages et entourant les villes. En outre, à la fête dite de la Pentecôte, les prêtres qui, suivant leur coutume, étaient entrés la nuit dans le Temple intérieur pour le service du culte, dirent qu'ils avaient perçu une secousse, du bruit, et entendu ensuite ces mots comme proférés par plusieurs voix : "Nous partons d'ici"[1]. »

Notre rédacteur, selon sa méthode habituelle, fait sa citation sans souci d'exactitude : « Tandis que le peuple rassemblé, venant de toutes les régions, attendait le jour de la fête pascale et comme les prêtres assistaient aux offices nocturnes habituels, les veilleurs entendirent soudain des voix qui disaient : "Quittons ces demeures !" Ces paroles, émises par les anges qui annoncèrent le départ des esprits bienheureux, firent comprendre que le ministère des anges devait être transféré à l'Église des gentils »[2]. En fait, l'auteur montois prolonge une tradition interprétative très ancienne dans les milieux chrétiens selon laquelle la prise de Jérusalem était conforme aux prophéties sur le temple mises dans la bouche de Jésus.

On remarquera que, dans la *Revelatio*, allusion est faite non pas à la Pentecôte juive, qui commémorait l'Alliance conclue au Sinaï par le don de la Loi, mais à Pâques qui, dans l'économie chrétienne, scelle la nouvelle Alliance. Notre auteur, probablement de façon instinctive, ramène toute l'histoire, même la période vétérotestamentaire, à ce qu'il en perçoit au Mont au moment où il écrit son texte. La liturgie pascale, qu'il mentionne, renvoie d'ailleurs moins aux rites juifs auxquels Josèphe

1. FLAVIUS JOSÈPHE, *De bello Judaico*, VI, 5, 3 (300), Loeb Classical Library, Londres, 1961. La référence donnée au tome II du *Millénaire* p. 127 est inexacte.

2. BOUET et DESBORDES 2003, *op. cit.*, lect. II, p. 17.

faisait allusion qu'aux pratiques montoises de la veillée pascale. Or, selon une expérience très profondément chrétienne, particulièrement vive dans les milieux monastiques, la liturgie célébrée quotidiennement était considérée comme le reflet de la véritable liturgie célébrée par les Anges, dans le ciel. L'auteur de la *Revelatio* entendait rappeler chaque jour cette affirmation de foi, au canon de la messe : « Regarde cette offrande avec amour [...] qu'elle soit portée par ton ange en présence de ta gloire, sur ton autel céleste. »[1] Ainsi, par le seul fait de sa pratique liturgique, l'auteur investit « son » Mont comme s'il était le nouveau Temple de Dieu en Occident. L'universalité du règne de Dieu est ainsi rendue manifeste : le « bienheureux Archange » relie les régions « orientales du monde romain » aux « peuples d'Occident » par « ses interventions » au mont Gargan, en Italie méridionale, et maintenant en « ce lieu donc, que les habitants appellent Tombe »[2]. Le ciel et la terre se rejoignent là « où la foule pieuse des fidèles » vient « du monde entier, pour demander avec vénération par ses prières l'aide de l'Archange »[3].

La leçon III de la *Revelatio* ramène l'attention du lecteur sur le mont Tumba. Les données onomastiques et géographiques sont précises : le mot *Tumba* est mis en relation avec *tumulus* : une élévation, une levée de terre qui peut servir de tombeau ; sa hauteur est exacte : deux cents coudées, soit environ quatre-vingt-dix mètres ; de la même manière, la distance du Mont à Avranches : six milles, soit à peu près neuf kilomètres. L'auteur connaissait précisément le lieu qu'il décrivait, mais il voulait imprimer aux réalités qui l'entouraient leur signification spirituelle. Ainsi, le mont Tumba, par sa forme, renvoie d'abord à l'arche de Noé. « En longueur et en largeur, ce lieu ne diffère pas beaucoup au niveau de sa base,

1. Canon romain.
2. BOUET et DESBORDES 2003, *op. cit.*, lect. II, p. 17.
3. *Ibid.*, p. 17.

comme on le conjecture, de l'ouvrage qui assura au genre humain son salut ou plutôt sa survie[1]. » Puis c'est à une tour qu'il est comparé : « Quand on regarde de loin, on ne voit rien d'autre qu'une tour de belle dimension ou plutôt de belle apparence. » L'auteur semble avoir en tête l'image qui figure l'Église en construction dans le *Pasteur* d'Hermas, une des premières œuvres de la tradition chrétienne. « "Tiens, dit la femme au Pasteur, ne vois-tu pas en face de toi une grande tour bâtie sur les eaux avec de brillantes pierres carrées ?" Elle était bâtie en carré par les six jeunes gens venus avec elle. Des myriades d'autres hommes apportaient des pierres, les uns, du fond [de l'eau], les autres, de la terre, et ils les passaient aux six jeunes gens. Eux, les recevaient et bâtissaient. Ils plaçaient telles quelles dans la construction toutes les pierres retirées du fond de l'eau, car d'avance, elles s'agençaient et s'emboîtaient parfaitement aux jointures avec les autres pierres ; elles se soudaient si bien entre elles qu'on ne voyait pas les joints. La construction paraissait bâtie d'un seul bloc[2]. » Par sa forme même, le mont Tumba se révèle avant toute action des hommes, comme un lieu choisi par Dieu pour construire son Église. Il est situé dans une géographie précise – « entre les embouchures de la Sée et de la Sélune » – mais sacralisée, comme un de ces lieux privilégiés où les hommes sont appelés au salut. D'ailleurs, le texte continue ainsi : « L'endroit ne convient qu'aux personnes qui se proposent d'honorer le Christ de tout leur cœur et accueille ceux que l'ardent amour des vertus élève vers les cieux »[3].

L'environnement du Rocher serait incomplet si notre rédacteur n'évoquait la mer et ce qui s'y produit. Il y revient plusieurs fois : « Ce lieu, entouré de tous côtés par l'Océan, offre l'espace étroit d'une île étonnante. » Il est vrai que la mer est une image biblique assez récur-

1. BOUET et DESBORDES 2003, *op. cit.*, lect. III.
2. HERMAS, *Pasteur*, II, 4-6.
3. BOUET et DESBORDES 2003, *op. cit.*, lect. II, p. 17.

rente. On la trouve d'abord dans le premier récit de la création : « Dieu dit : Que les eaux inférieures au ciel s'amassent en un seul lieu et que le continent paraisse ! Il en fut ainsi. Dieu appela "terre" le continent : il appela "mer" l'amas des eaux. » (Gn 1, 9-10). Dans le récit du déluge, (Gn 6-9, 17), ces « eaux d'en bas » recouvrent toute la surface du sol et sèment la mort de tous ceux qui s'y trouvent. Devant le peuple qui sort d'Égypte, la mer se retire pour le laisser passer ; ainsi est-il sain et sauf, contrairement au pharaon et à ses armées (Ex 14-15). Jonas est jeté par-dessus bord pour calmer la tempête qu'il a causée par sa désobéissance. La mer l'engloutit pendant trois jours. Au plus profond de son épreuve, le prophète nous dévoile le sens de cette image : « Je suis descendu jusqu'à la matrice des montagnes ; à jamais les verrous du pays de la mort sont tirés sur moi » (Jon 2, 7). Les Évangiles vont mettre en scène cette image. En Mc 6, 45-51, Jésus marche sur la mer, ce qui veut dire qu'il est vainqueur de la mort. On comprend dès lors combien la réalité qui entoure le Rocher est porteuse de signification. Elle est même ambivalente. D'une part, grâce à la marée, c'est l'exode qui se renouvelle chaque jour : « La mer par son reflux offre deux fois par jour un chemin attendu aux gens pieux qui désirent gagner le sanctuaire du bienheureux Archange »[1]. D'autre part, elle est source de vie par l'abondance de poissons qu'elle donne. Elle constituait, certes, une source de nourriture inépuisable, mais l'expression hyperbolique utilisée pour en parler invitait les auditeurs du texte à se souvenir de la vision rapporté en Ez 47. Le récit de celle-ci offre en effet une similitude avec l'évocation de la situation montoise. L'eau qui sortait de la porte orientale du Temple de Jérusalem allait vers les hauteurs (« *ad tumulos* », Ez 47, 8) du désert oriental, puis descendait dans la mer Morte pour en assainir les eaux : « Ainsi le poisson sera très abondant car cette eau arrivera là et les

1. *Ibid.*

eaux de la mer seront assainies : il y aura de la vie partout où viendra le torrent » (Ez 47, 9). Ce texte trouve encore son prolongement dans les évangiles sous la forme du récit de la pêche miraculeuse (Lc 5, 4-7). Les poissons pris sont les hommes sauvés par le Christ. Ainsi, en décrivant la réalité de la baie montoise, notre auteur cherchait à faire comprendre que la grâce de Dieu se répandait à partir de l'église du mont Tumba, comme elle l'avait fait à partir du mont du Temple, donnant vie aux eaux de la mer ; et par le ministère des moines, sourdait désormais une vie régénérée par Dieu.

Une expression complémentaire de cette même conviction est alors donnée, sous l'autorité d'une tradition orale qui semble décrire un état de la baie plus ancien : « Primitivement, cet endroit, comme nous avons pu l'apprendre de narrateurs soucieux de la vérité, était entouré d'une forêt des plus épaisses [...] il offrait des repaires qui convenaient parfaitement aux bêtes sauvages »[1]. La phrase latine est complexe, car elle attribue au Rocher lui-même ce qui devrait l'être à ses alentours : il serait logique, en effet, que ce soit la forêt qui offre aux bêtes sauvages « des abris très sûrs » puisqu'elle est dense, or le participe *praebens* renvoie bien au Rocher. Le besoin d'insister ici sur l'authenticité de la source, joint à un flou dans les données temporelles et topographiques, conduit à penser que la forêt, sous une apparente historicité, fonctionne comme une image en négatif de celle de la baie avec son abondance de poissons. L'auteur utilise ici un *topos* non plus de la littérature biblique, mais hagiographique. On en retrouve des traces dans la vie des Pères du désert. Quand les premiers moines, saint Antoine et saint Paul l'Ermite, se furent installés dans les régions les plus reculées et les plus hostiles du désert d'Égypte, ils se trouvèrent aussitôt en butte aux attaques des bêtes sauvages et aux

1. *Ibid.* On notera cependant que le texte latin ne porte qu'une fois l'adverbe *primum*, tandis que la traduction le répète.

assauts de Satan, comme d'ailleurs Jésus lui-même l'avait été, selon Mc 1, 13 : « Durant quarante jours, au désert, il fut tenté par Satan. Il était avec les bêtes sauvages, et les anges le servaient. » Les lieux solitaires représentaient un monde livré à la sauvagerie diabolique ; et selon la *Vie grecque d'Adam et Ève*, l'hostilité des animaux sauvages envers les hommes était elle-même la conséquence du péché qui avait brisé l'harmonie originelle : « Dieu dit à Adam : Les animaux que tu dominais s'agiteront et se soulèveront contre toi »[1]. B. Merdrignac, dans son étude sur les textes hagiographiques bretons, écrit : « Le modèle oriental qui fascine les moines bretons du Moyen Âge influe sur leur conception du désert. [...] À l'instar du désert égyptien, les solitudes boisées sont le champ de bataille entre les moines et le démon qui s'efforce de contrarier leur labeur. »[2] Le mont Tumba et son environnement sont ainsi assimilés au désert. Ils sont des lieux dédiés au combat spirituel. L'efficacité de la grâce de Dieu, manifestée par l'excellence de la vie des moines, est signifiée non par la présence de la forêt, mais par sa disparition progressive et par l'apparition d'une plage de sable : « Mais parce que ce lieu était, par la volonté de Dieu, destiné au prodige à venir et à la vénération de son saint archange, le niveau de la mer qui se trouvait fort éloignée monta peu à peu, rasa par sa propre force toute l'étendue de cette forêt et réduisit tout à une plage de sable, offrant au peuple un chemin pour qu'il célèbre les merveilles de Dieu. »[3] La disparition de la forêt ouvrait ainsi un chemin dans la mer. Notre texte combine ainsi deux images pour signifier que le Mont était devenu un lieu de grâce et de salut.

1. *Vie grecque d'Adam et Ève* 24, 4, in *La Bible, Écrits intertestamentaires,* Gallimard, 1987, p. 1783.

2. MERDRIGNAC, Bernard, *La vie des saints bretons durant le haut Moyen Âge*, Éditions Ouest-France, Rennes, 1993, p. 82-83.

3. BOUET et DESBORDES 2003, *op. cit.*, lect. III, p. 18.

La mention de la « forêt des plus épaisses qui entoure ce lieu » permettait encore à l'auteur de développer un autre lieu commun dans les vies de saints : la présence active d'un animal qui « précédé par un guide invisible allait et revenait par des lieux dépourvus de sentiers, apportant ce que le Seigneur avait ordonné et qui était indispensable »[1] aux premiers occupants du Mont. Le choix de l'âne est fréquent dans ce genre de littérature. Dès l'Ancien Testament, en effet, on le rencontre. En Nb 22, 23-27, une ânesse voit ce que ne voit pas le prophète Balaam. À son exemple, l'âne d'Astériac sait reconnaître une route où il n'y en a pas. En I R 1, 33, c'est une mule qui sert de monture à Salomon lors de son sacre. Ce même motif est repris dans les évangiles, lors de la dernière entrée du Messie à Jérusalem, juste avant qu'il se donne en nourriture lors de la Cène. Ainsi ce que transporte l'âne, c'est une nourriture spirituelle : le Christ lui-même. Aussi, quand la forêt qui symbolisait le monde obscur du péché disparaît, on n'en parle plus. Ce moment coïncide avec celui où Michel prenait possession du rocher, sous la forme rendue tangible des reliques ramenées du mont Gargan. « Or les éminents messagers revinrent, après un très long voyage, au lieu d'où ils étaient partis, le jour même où, sur le Mont situé dans les régions d'Occident, fut achevé l'édifice : ils entrèrent comme dans un monde nouveau qu'ils avaient quitté alors qu'il était recouvert de broussailles touffues. »[2] L'originalité réside dans le fait que c'est la mer le vecteur de la purification du lieu.

Ayant décrit, et interprété, le Rocher et son environnement, le rédacteur montois en vient à considérer ses premiers occupants. « Et du fait que les lieux de solitude fort retirés séduisent habituellement ceux qui veulent rechercher les secrets les plus profonds du ciel par une subtile contemplation, nous avons appris que des moines

1. *Ibid.*
2. BOUET et DESBORDES 2003, *op. cit.*, p. 20.

ont jadis habité ce lieu, où subsistent encore aujourd'hui deux églises édifiées de la main des hommes de ces temps anciens. »[1] Cette phrase est importante, car, traduite ainsi, elle induit une interruption de l'occupation monastique sur le Rocher, une rupture entre l'établissement primitif et l'œuvre de saint Aubert. Or, si l'expression « *inhabitasse olim* » peut se comprendre comme « ont jadis habité », elle peut être rendue par une autre traduction et signifier « habitent depuis longtemps » – le parfait latin ayant alors sa valeur résultative et l'adverbe sa valeur durative. Cette dernière interprétation fait apparaître que le rédacteur du texte ne se situe pas nécessairement en rupture avec le passé, mais dans le prolongement d'une histoire qui relie les occupants actuels du Mont aux desservants des deux premières églises. Il laisse entendre ainsi que la vie monastique ne fut jamais interrompue, ce qui remet en cause la vision habituellement reçue de l'histoire montoise.

Qui étaient donc les premiers occupants ? Des ermites, comme l'avançait Paul Gout[2] et bien d'autres, en se fondant sur l'expression « *remotiora heremi loca* »[3] ? Mais cette hypothèse repose sur une lecture quelque peu abusive puisqu'elle applique aux religieux le mot « désert, solitude », qui qualifie en fait le lieu de leur implantation. On peut penser encore à des solitaires organisés en laure, qui reproduiraient, à leur manière, aux confins de l'Occident, l'idéal de l'ordre monastique né dans les déserts d'Égypte et tel qu'il fut connu en Gaule par l'œuvre de Cassien. La présence de « deux églises » rend assez plausible une telle hypothèse. Il faut cependant préciser. La mention d'Astériac, devenu vraisemblablement Beauvoir, établit que les premiers Mon-

1. BOUET et DESBORDES 2003, *op. cit.*, p. 17.
2. GOUT, Paul, *Le Mont-Saint-Michel, histoire de l'abbaye et de la ville. Étude archéologique et architecturale des monuments*, Armand Colin, Paris, 1910, Culture et Civilisation, Bruxelles, 1979, p. 89.
3. BOUET et DESBORDES 2003, *op. cit.*, *Revelatio*, lect. III.

tois ne vivaient pas totalement isolés, mais qu'ils avaient un lien permanent avec une structure ecclésiale sur le continent[1]. Il est également remarquable que le Mont ne fut pas le seul lieu retiré à être occupé par des moines dans la région. Ce fut même une pratique assez courante au moment de la première évangélisation du Cotentin sous l'égide de saint Pair et de son compagnon Scubilion. Mettant justement en perspective la *Revelatio* et la *Vita Paterni* de Fortunat, Dom Hourlier affirme : « L'attirance des solitudes, des îles surtout, apparaît trop générale (dans le Cotentin) pour que le Mont Tumbe ait échappé à l'emprise des moines. Autrement dit, le milieu monastique s'accorde avec les brèves indications de la *Revelatio* et avec les renseignements tardifs de Guillaume de Saint-Pair pour nous faire admettre l'existence, vers 550-575, et sous l'influence du groupe Pair-Scubilion, d'un monastère à Astériac avec le Mont Tombe pour annexe. »[2] Quoi qu'il en soit de la dernière assertion de ce propos, il est vraisemblable que la première occupation monastique sur le Rocher soit à situer dans le cadre de l'implantation du christianisme dans la région. Les fondations monastiques servaient en quelque sorte à coloniser les lieux païens et à y enraciner la foi nouvelle. Un culte païen était-il présent sur le Mont avant que s'y installent des moines ? Un indice d'occupation préchrétienne du Mont est en tout cas suggéré par le toponyme : *Tumba*. À l'origine, il s'agit d'un mot grec, bien attesté chez Homère et les Tragiques. Il y désigne la tombe d'un héros, recouverte d'un tumulus.

1. Il faut cependant admettre qu'aucune trace d'un établissement monastique n'a été trouvée à Beauvoir et garder à l'esprit la fragilité de la tradition étiologique qui fait reposer le changement de toponyme sur le récit de la guérison miraculeuse d'une aveugle « s'étonnant, selon la *Revelatio*, d'être passée ainsi subitement des ténèbres à la lumière », au moment du retour des frères montois envoyés au mont Gargan.

2. Dom HOURLIER, *Le Mont Saint-Michel avant 966*, in *Millénaire monastique du Mont Saint-Michel*, Lethielleux, 1967, t. I, p. 19.

On ne le trouve avec le même sens dans le domaine latin que chez Prudence[1], et Jérôme[2] qui l'emploie dans sa traduction du chapitre 39 d'Ezéchiel. Ce terme, plutôt étrange dans le latin tardif, pourrait faire allusion, au-delà de la forme du rocher, à la présence sur le Mont d'une sépulture assez importante pour que les populations locales le désignent par un vocable très particulier. Le toponyme du lieu-dit d'où était originaire Bainus, *Villa Itius*, suggère lui aussi une occupation ancienne. Un *Itius* est en effet mentionné dans le livre V du *De bello Gallico*, sous la forme de « *Itius Portus* ». César nomme ainsi le port des *Morini* ; ce serait aujourd'hui Boulogne-sur-Mer[3]. Or, le terme « *Itius* » vient d'une racine commune à des mots comme *itus, iter* qui traduisent l'action de partir, d'aller. *Villa Itius* pourrait donc être, depuis l'époque gallo-romaine, un point de départ ou un point de passage. La parenté de cet *Itius* avec l'actuel Montitier, à Huisnes-sur-Mer, amène encore à penser que le Mont était à proximité d'une voie romaine connue qui menait d'Avranches à Corseul[4]. Même un peu à l'écart, le Rocher pouvait avoir été fréquenté très tôt.

Quand les moines s'installent au Mont, le titre qu'ils donnent à leur supérieur semble indiquer que leur type de vie s'inscrit bien dans ce qui existait ailleurs en Gaule au moment de l'évangélisation des campagnes. C'est curieusement Odon de Cluny qui nous donne cette appellation, sans doute la plus ancienne, qui sera gommée, comme partout, par le titre d'« abbé ». Dans ses *Collationes*, il fait allusion à « un prêtre de la ville d'Avranches, neveu de Jean, *praepositi*, supérieur, du Mont Saint-Michel »[5]. Ce titre de « *praepositus* » est celui qu'emploie saint Augustin dans sa règle pour dési-

1. PRUDENCE, *Passio sancti Hippolyti*.
2. JÉRÔME, *In cap. 39 Ezechielis*.
3. GAFFIOT, Félix, *Dictionnaire latin-français*, et CONSTANS, L.-A., *De bello Gallico*, Les Belles Lettres, 1964, p. 132, note 5.
4. Capitale gallo-romaine des Coriosolites, près de Dinan.
5. ODON DE CLUNY, *Collationes* II, Migne, 1852, pl. 133, 570D.

gner celui qu'il a placé à la tête des communautés cléricales qu'il a organisées dans son diocèse d'Hippone. On sait que cette règle inspira, longtemps avant celle de Benoît, le monachisme gaulois. Martin s'est appuyé sur saint Augustin pour donner un cadre monastique à une partie de son clergé. Les moines établis à Lérins, autre îlot isolé, avaient eux aussi à leur tête un *praepositus*. L'usage de cette titulature pourrait indiquer que les moines montois ont eu, pendant un temps assez long, une forme de vie apparentée à ce courant. Les premiers évangélisateurs de l'Avranchain venant du Poitou, il n'est pas totalement saugrenu de penser que le premier monachisme montois était assez proche du mouvement martinien. Mais, à cette parenté possible, il faut ajouter, durant le VIIe siècle, la proximité d'un autre monachisme, celui des disciples de saint Colomban. Plusieurs indices vont en ce sens, à commencer par le *praepositus* qui, bien que déjà disparu des règles concurrentes, était encore employé par saint Colomban. On peut également noter la présence des moines irlandais dans le Cotentin signalée par la *Vita Columbani* : « Le nommé Potentin, qui est encore en vie, a réuni en Armorique, aux environs de la ville de Coutances, une communauté de moines »[1]. La présence enfin, dans le scriptorium montois, de deux pages d'un évangéliaire irlandais copié au VIIIe siècle[2] confirme l'adhésion des Montois à ce courant voisin.

Est-il possible de préciser davantage ? Le rédacteur de la *Revelatio* avait, sous les yeux, « deux églises édifiées par la main des hommes de ces temps anciens »[3]. Cela signifie que, très tôt, il y eut au Mont un établissement monastique avec un double sanctuaire. Une telle maison suppose une organisation communautaire déjà élaborée,

1. *Vita Columbani*, I, 21 (41).
2. DOSDAT 2006, *op. cit.*, p. 20-22. Deux pages sont actuellement à la Bibliothèque municipale d'Avranches (Ms. 48 et 71), une autre à Saint-Pétersbourg.
3. BOUET et DESBORDES 2003, *op. cit.*, p. 17.

qui permettait d'avoir des ressources suffisantes pour construire des bâtiments durables, dans un lieu extrêmement difficile d'accès, où on ne peut presque rien produire. Il fallait donc des possessions assez conséquentes sur la côte. M. Mollat a écrit fort justement : « Favorable à la vie monastique par l'isolement qu'elle lui [au Mont] procure, la mer lui imposait, en retour, la servitude de ses relations extérieures. »[1] Tous ces indices amènent à penser que la communauté qui vint sur le Rocher se sentit rapidement assez confiante en l'avenir pour élever des églises qui étaient autant de gages de la force de cette institution. À qui ces sanctuaires étaient-ils consacrés ? Selon Guillaume de Saint-Pair, au XIIe siècle, les deux églises montoises étaient dédiées l'une à saint Étienne, le protomartyr, l'autre à saint Symphorien, alter ego du premier en Gaule. Ces deux noms sont connus sur le Mont : à l'intérieur de l'abbaye, une chapelle, construite par Robert de Torigni, l'abbé de Guillaume, porte le nom du premier, et une fontaine qui recueille les eaux de ruissellement, au bas du rocher, au pied de la tour Boucle, celui du second. La situation du point d'eau très bas sous le rempart, la hauteur du rocher à cet endroit rendent problématique l'existence d'un sanctuaire à proximité. Mais ces dédicaces ne sont cependant peut-être pas aussi anciennes qu'on l'a pensé. Elles venaient, en fait, justifier la périodisation officielle de l'histoire montoise, selon laquelle le culte de saint Michel aurait été institué sur le mont Tombe, non par les premiers moines, mais par saint Aubert, après que la mémoire des antiques occupants fut perdue dans les brumes du passé. La *Revelatio*, elle, ne donne aucune précision à ce sujet. Pourtant, si l'on admet une influence colombanienne, une autre hypothèse est possible. L'église paroissiale du Mont est dédiée à saint Pierre, et ce, d'aussi loin qu'on connaisse son existence. Or, on sait que, « grâce à Colomban et à

1. MOLLAT, Michel, *La seigneurie maritime du Mont Saint-Michel*, in *Millénaire…, op. cit.*, t. 2, p. 73.

ses moines, le culte de saint Pierre s'est développé en Gaule »[1]. Il n'est alors pas totalement illégitime de penser que les deux sanctuaires dont parle la *Revelatio* sont, en fait, celui de saint Michel, au sommet du rocher, et le second, dédié à saint Pierre, à mi-pente. Pareille perspective demande à ce que soit reconsidérée la suite du récit, qui précisément relate l'œuvre d'Aubert.

Pour situer l'action décisive de l'évêque, notre texte fait référence à un Childebert « *rex Francorum* ». Trois souverains portèrent ce nom. Duquel s'agit-il ? Le premier régna de 511 à 558, le deuxième de 575 à 596, le troisième de 695 à 711, soit un flottement de presque deux siècles. Le rédacteur des Annales, ajoutées à la *Chronique* de Robert de Torigni, fut le premier à trancher la question, à la fin du XIIe siècle : « En l'an 708 eut lieu la révélation de saint Michel au mont Tombe, au temps de Childebert, roi des Francs, et d'Aubert, évêque d'Avranches »[2]. Le Childebert de la *Revelatio* fut identifié désormais au troisième du nom. Ce faisant, la fondation du sanctuaire fut fixée au tout début du VIIIe siècle. L'histoire retint désormais cette date[3] jusqu'à ce que certains travaux récents entreprennent une lecture critique de l'ensemble du dossier et mettent en lumière ses contradictions. Ainsi, après avoir justifié la présence du culte de saint Michel sur le mont Tombe, montré comment le cadre de la baie répondait à cette vocation et signalé un premier établissement monastique, l'auteur de la *Reve-*

1. RICHE, Pierre, *Le christianisme en Occident*, in *Histoire du christianisme*, Desclée, 1993, t. IV, p. 634.

2. ROBERT DE TORIGNI, *Chronique*, édition établie par Léopold Delisle, Librairie de la Société de l'histoire de Normandie, Rouen, 1873, t. 2, p. 230.

3. « Il semble donc que la date de 708 pour l'apparition fut avancée au temps où l'abbé Bernard du Bec (1131-1149), en faisant fabriquer une nouvelle châsse pour le chef de saint Aubert, attirait l'attention sur les débuts du sanctuaire du Mont. » DUBOIS, Jacques, *Le trésor des reliques de l'abbaye du Mont Saint-Michel*, in *Millénaire…*, *op. cit.*, t. 1, p. 557.

latio précise l'objet de son écrit : « Mais maintenant il faut que j'en vienne à dire comment ce prince des esprits bienheureux a consacré ce lieu par sa révélation divine. »[1] Il veut dès lors mettre en scène l'événement proprement fondateur du sanctuaire michaélique. Nicolas Simonnet écrit à ce propos : « L'événement central, celui qui permet le passage de l'informe et de l'indéterminé des temps anciens à la culture et à la religion est, comme dans tous les récits hagiographiques, l'intervention du saint, en l'occurrence saint Aubert, évêque d'Avranches. »[2] C'est lui, en effet, qui devient la figure centrale du récit, lui qui mène l'action jusqu'à son terme. C'est pendant son sommeil que le prélat est sollicité (*admonitus*) par l'Archange pour construire au « sommet » du site un sanctuaire « afin que celui dont le souvenir vénérable était célébré sur le Mont Gargan soit célébré en mer avec une égale allégresse »[3]. Saint Aubert, en homme sage et prudent, pratique le discernement, selon la recommandation de l'apôtre Jean : « Éprouvez les esprits pour savoir s'ils sont vraiment de Dieu »[4]. À chaque moment décisif, il demandera ainsi confirmation de son entreprise.

On retient habituellement les trois premières révélations de saint Michel à l'évêque. La troisième a particulièrement marqué les esprits. Pour évoquer ce dernier songe, l'auteur de la *Revelatio* emploie, en effet, une

1. BOUET et DESBORDES 2003, *op. cit.*, p. 18.

2. SIMONNET, Nicolas, « La fondation du Mont-Saint-Michel d'après la *Revelatio ecclesiæ sancti Michaelis* », in *Annales de Bretagne et des Pays de Loire*, Presses universitaires de Rennes, 1999, t. 106, n° 4, p. 14.

3. *Ibid.*

4. BOUET et DESBORDES 2003, *op. cit.*, traduction, p. 18. Notre texte donne la citation suivante de I Jn. 4,1 : *« Probate spiritus si ex Deo sunt. »* C'est une approximation par rapport à la Vulgate qui porte... *si ex deo sint*. Notre texte introduit encore la citation comme étant une parole de l'Apôtre, c'est-à-dire Paul, alors qu'elle est de Jean. Le rédacteur montois ne vérifie pas ses sources, mais se fie à sa mémoire de l'Écriture.

expression qui ne manque pas de surprendre : l'évêque « *pulsatur hausterius* ». Pierre Bouet la traduit ainsi : « Le vénérable évêque est encore *plus vivement ébranlé* par un troisième avertissement. »[1] Les mots latins ont un sens très concret : le verbe *pulsare* renvoie à un heurt et la racine de l'adverbe au fait de puiser, de creuser, de transpercer. Le suffixe comparatif lui donne en outre une valeur intensive. L'auteur semble ainsi signifier qu'il fallait à Aubert une mise à l'épreuve radicale pour qu'enfin Michel emportât sa conviction. La tradition ultérieure, friande de merveilleux, a souligné le sens concret des mots : un crâne perforé fut trouvé, qui montrait l'effet du coup angélique sur la tête du saint.[2] En fait, Aubert fut bénéficiaire, non pas de trois manifestations de l'Archange, mais de sept, à condition de lire la totalité du texte, y compris le dernier épisode qui raconte comment Aubert découvrit une source « capable de satisfaire les besoins des habitants »[3]. Dom Hourlier voyait dans cet ultime miracle un récit simplement ajouté à la *Revelatio* par un correcteur ultérieur[4] ; il pourrait, en vérité, appartenir à la dernière rédaction du texte. Le chiffre sept qui dénombre les révélations, pas plus que leur nature ne sont le fruit du hasard. La manifestation de Dieu durant le sommeil est une figure biblique

1. *Ibid.* (C'est nous qui soulignons.)

2. Il se trouve aujourd'hui en l'église Saint-Gervais d'Avranches. Le professeur THILLAUD, spécialiste de paléopathologie, écrit : « En revanche, de nombreux kystes épidermoïdes ont été publiés. Nous ne citerons que l'exemple du crâne de saint Aubert, le fondateur de l'abbaye du Mont-Saint-Michel, dont l'orifice pariétal et le méningocèle servirent certainement de supports à sa légende qui veut que l'Archange se désespérant de l'inertie de l'évêque d'Avranches se résolut à lui pointer son doigt sur la tête afin de le convaincre de lui édifier son fameux sanctuaire ». « Paléopathologie du cancer, continuité ou rupture ? »
Bulletin du Cancer, vol. 93, n° 8, 767-773, août 2006, Synthèse.

3. BOUET et DESBORDES 2003, *op. cit.*, p. 21.

4. Dom HOURLIER, *Les sources écrites de l'histoire montoise antérieure à 966*, in *Millénaire...*, *op. cit.*, t. II, p. 126.

connue dès l'Ancien Testament. Ainsi, dans la Genèse « Dieu vint vers Abimélek durant son sommeil et lui dit... » (Gn 20, 3) ; il en va de même pour Laban en Gn 31, 24. On trouve encore le songe de Gédéon, à l'histoire duquel notre texte se réfère explicitement, en Jg 6, 11-8, 28. Dans le Nouveau Testament, c'est Joseph qui reçoit, de la même manière, plusieurs avertissements au sujet de Jésus enfant : « Voici que l'Ange du Seigneur lui apparut en songe (*in somnis, vulg.*) » (Mt 1, 20, mais aussi 2, 13 et 2, 19). En Mt 2, 22, on rencontre le participe « *admonitus* » qui figure dans notre texte. L'auteur semble ainsi vouloir suggérer que ce dont Aubert est l'exécutant inaugure, dans un lieu totalement nouveau, une œuvre à mettre au nombre des « *mirabilia Dei* ». Les sept manifestations angéliques montrent quant à elles que ce qui se passe au Mont était du même ordre que l'action de Dieu rapportée en Gn 2, 1 : « Dieu acheva au septième jour l'œuvre qu'il avait faite, il arrêta au septième jour toute l'œuvre qu'il faisait. »

Le récit se poursuit alors dans la leçon IV, partie plus complexe où plusieurs petits récits s'entremêlent et créent des redondances qui semblent être le fruit de rédactions successives. Elle commence par une mise en situation qui présente les caractéristiques d'un incipit. Après une indication temporelle volontairement imprécise, elle introduit le héros : « Le très religieux, aimable à Dieu, Aubert, évêque de la ville déjà nommée. » Cette allusion renvoie indirectement à la ville d'Avranches dont mention a été faite au début de la leçon III pour situer géographiquement le Mont : « Distant de six milles de la ville d'Avranches, tourné vers le couchant, il sépare le pays d'Avranches de la Bretagne. »[1] Cette référence lointaine donne à la suture entre les leçons III et IV un tour un peu artificiel, comme si la mention de la ville et de son prélat avait été insérée dans le texte par un scribe assez maladroit. La mission du héros est néanmoins clairement annoncée : « Construire au sommet

1. BOUET et DESBORDES 2003, *op. cit.*, p. 17.

dudit lieu un sanctuaire en l'honneur de saint Michel. » La phrase suivante préfère un « *sacerdos* » à l'« *antistes* » précédent qui qualifiait sans ambiguïté un évêque. Il y a un certain flottement dans la caractérisation de l'acteur du drame. Pierre Bouet a bien noté que les auteurs de *Vitae* « pour parler de l'évêque usent indifféremment, comme l'auteur de la *Revelatio*, des termes *sacerdos*, *episcopus*, *praesul*, *antistes* et *pontifex* »[1]. Il est cependant curieux de constater la répartition de ces titres dans notre texte. Saint Aubert est introduit en qualité d'« *antistes* ». L'évêque de Siponte sera désigné par ce même titre à la leçon VI. Le second terme choisi dans la leçon IV à propos d'Aubert est « *praesul* » que l'on retrouve à la leçon VIII, lors de l'invention de la source. C'est comme si ces deux dénominations encadraient les autres passages, qui utilisent « *sacerdos* » et « *episcopus* ». Ce dernier terme revient sept fois, toujours employé au sujet des révélations de l'évêque visionnaire, de ses hésitations, de son déplacement au « *predictum locum* » et de son mystérieux séjour sur une pierre gravée. Ses demandes de confirmation sont la plupart du temps redondantes. Ainsi, lorsqu'il tente de définir la grandeur et le site exact de l'église à construire, l'évêque semble vouloir confirmation de ce qu'il sait déjà.

Quand il s'agit de la construction elle-même, c'est le terme « *sacerdos* » qui est employé. Il revient trois fois et, en considérant simplement ces occurrences, nous voyons apparaître un récit débarrassé de ses redites : un prêtre, pendant son sommeil, est averti qu'il doit construire un sanctuaire au sommet du Mont en l'honneur de l'Archange. Il éprouve alors les esprits, sans que la manière de le faire en soit précisée. Vient alors un premier petit récit encadré relatif à la présence d'un taureau volé sur le lieu ; la mention de cet animal renvoie explicitement à la fondation du sanctuaire du mont Gargan,

1. BOUET et DESBORDES 2003, *op. cit.*, *Revelatio et origines du culte sur le mont Tombe*, p. 79.

telle qu'elle est connue du rédacteur montois par le texte intitulé « *Memoria* »[1]. Les marques laissées par l'animal donneront la grandeur, « *amplitudo* », et la capacité, « *quantitas* », de l'édifice. Une très grande foule de gens de la campagne est rassemblée pour préparer le terrain.

Arrive un second récit encadré dont le personnage principal est Bainus. Nicolas Simonnet a été le premier à attirer l'attention sur « cet épisode au cours duquel le rôle majeur est conféré à un personnage apparemment secondaire »[2]. Il remarque que cet épisode « s'insère de façon curieuse dans le récit de la *Revelatio*, et perturbe sa composition : seule l'action du saint devrait normalement être l'événement qui permet le passage de l'obscurité des temps anciens à la lumière de la religion ».[3] Ce récit secondaire reprend, en fait, de façon très ramassée, ce que l'ensemble du texte vient de nous dévoiler de l'action du « *sacerdos* ». Bainus reçoit lui aussi une révélation de nuit ; il vient avec ses douze fils, qui rappellent la « *multidudo rusticorum* » accompagnant le « *sacerdos* » ; il débarrasse le terrain de ce qui l'encombre. La différence se marque par le procédé d'intervention qui est extraordinaire, « *mirum in modum* ». Nous avons certainement ici « un récit issu de la tradition locale »[4], devenu, sous la plume du rédacteur de la fondation, le noyau primitif d'un récit plus vaste. Tout se greffe autour de cette matrice selon un procédé d'amplification bien connu des Pères de l'Église. Il a ses racines dans l'Écriture elle-même qui, à partir d'un récit premier, enrichit la tradition selon des problématiques contemporaines du nouveau récit produit. Un exemple nous est fourni dans l'épisode de la sortie d'Égypte rapporté en Ex 14-15. La version primitive parle d'un assèchement de la mer par un fort vent d'est. Une nouvelle écriture

1. BMA, Ms. 211.
2. SIMONNET 1999, *op. cit.*, t. 106, n° 4, p. 16.
3. *Ibid.*
4. *Ibid.*

du même événement faite après l'exil à Babylone affirmera que la mer s'est dressée, formant deux murailles, pour laisser passer le peuple. Ce procédé se prolonge dans le Nouveau Testament, qui réutilise les images de l'Ancien pour les appliquer, de façon originale, à Jésus. De la même manière, le petit récit concernant Bainus fut repris, développé et inséré dans un contexte qui n'était pas le sien à l'origine.

L'action de cet homme rappelle celle des évangélisateurs, Pair et Scubilion, dans leur lutte contre le paganisme encore vivace dans les campagnes de l'Avranchin : non seulement ils annonçaient l'Évangile, mais ils purifiaient le sol des implantations païennes en démolissant les sanctuaires ; ici ce sont deux pierres qui empêchaient l'implantation de l'église. Ce récit primitif est lui-même rédigé de façon à faire écho à une autre tradition. Ce qu'accomplissent Bainus et ses fils rappelle en effet une péripétie de la fondation du mont Cassin : « Un jour, des frères construisaient les habitations pour son monastère, et il y avait au beau milieu du terrain une pierre qu'ils décidèrent d'enlever pour leur construction. Ils s'y mettent à deux ou trois pour la remuer – sans résultat. D'autres viennent à la rescousse, mais elle reste immobile comme si elle était enracinée au sol. Il est facile de deviner que sur elle le vieil adversaire s'est installé en personne, puisque tant de bras vigoureux n'arrivent pas à l'ébranler. Il y a là une réelle difficulté. On envoie dire à l'homme de Dieu qu'il vienne pour chasser l'ennemi par une prière ; alors on pourra lever la pierre. Il arrive rapidement, prie, donne une bénédiction et la pierre est soulevée avec une prodigieuse rapidité, comme si elle n'avait jamais été un poids lourd[1]. » Ainsi, l'auteur de notre récit rattache clairement l'action des fondateurs sur le mont Tumba non seulement à Pair et Scubilion, mais à la tradition béné-

1. GRÉGOIRE LE GRAND, *Dialogues II*, 9, Éditions du Cerf, 1979, « Sources chrétiennes », n° 260, p. 170-171.

dictine. Même le vocabulaire de la famille employé pour parler du groupe monastique rappelle les premiers mots de la règle : « Écoute, **mon fils**, les préceptes du maître et prête l'oreille de ton cœur. Reçois l'enseignement d'un si bon **père** et mets-le en pratique[1]. » À vrai dire, l'autorité du père pour exprimer les rapports institutionnels au sein d'un groupe monastique n'était pas une nouveauté. Saint Augustin en avait déjà usé : « Qu'il [le moine] obéisse à son supérieur comme à son père[2]. » Le nombre des fils de Bainus est, lui aussi, significatif. Ne lit-on pas dans les *Dialogues* de saint Grégoire : « Il [Benoît] put construire là douze monastères, avec l'aide de Jésus-Christ Seigneur tout-puissant. Dans ces monastères, il envoya douze moines avec un père par équipe »[3] ? Nicolas Simonnet conclut : « Ce nombre de douze, hautement symbolique, celui des apôtres et celui des moines nécessaires selon la coutume bénédictine pour fonder une communauté, [...] confère à Bain une caractéristique des fondateurs dans la tradition scripturaire et monastique. »[4] Il faut se souvenir encore que saint Colomban connaissait non seulement la règle de saint Augustin, mais aussi l'œuvre de Benoît[5] : « Des travaux récents ont montré que saint Colomban connaissait la règle de saint Benoît, sans doute grâce à ses relations avec Grégoire le Grand[6]. » On se rend compte alors que le rédacteur montois était proche, par son idéologie, de ces milieux monastiques gaulois qui inté-

1. SCHMITZ, Philippe (éditeur), *Regula monachorum*, Prol. I, Maredsous, 1962, p. 3. (C'est nous qui soulignons.)

2. Saint AUGUSTIN, *Regula*, *praecept.* 7, 1.

3. GRÉGOIRE LE GRAND, *Dialogues II, 3*, 13, *op. cit.*, p. 150-151.

4. SIMONNET 1999, *op. cit.*, t. 106, n° 4, p. 16.

5. Un spécialiste a été jusqu'à qualifier la règle de saint Colomban de « règle de saint Benoît à la façon de Luxeuil » : VOGÜE, Adalbert et NEUFVILLE, Jean, *La règle de saint Benoît*, vol. 1, Éditions du Cerf, Paris, 1972, « Sources chrétiennes », n° 181, p. 149.

6. RICHE 1993, *op. cit.*, t. 4, p. 634.

graient à leurs traditions particulières les grands courants touchant en profondeur au monachisme occidental alors à ses débuts.

Mais après l'action miraculeuse, que devient le premier groupe montois ? Le texte, apparemment, l'oublie et préfère rapporter une nouvelle hésitation de l'évêque sur l'emplacement exact de l'église à construire, alors même qu'il le connaît déjà. Il s'agit là d'un ajout à un texte déjà bien constitué, pour attribuer au seul personnage d'Aubert la construction qui va maintenant démarrer. Mais on peut rapporter le verbe « édifia » du début de la leçon V non pas à l'évêque mais au « *sacerdos* », qui pourrait être maintenant identifié à Bainus, si le petit récit où il est nommé est bien le noyau de l'amplification qui a introduit la figure du prêtre. Le récit continuerait alors avec la construction de l'édifice, rendue désormais possible[1]. Quelles sont les caractéristiques de l'œuvre ainsi entreprise ? Il s'agissait d'un bâtiment peu élevé, « *fabricam non celsam* », qui donne une impression de simplicité, de sobriété, « *culmine subtilitatis* ». Peu étendue, cette église est prévue pour « cent personnes ». Elle est bâtie « *in modum cryptae rotundam* ». Pierre Bouet traduit ainsi cette expression : « qui avait une forme circulaire à la manière d'une grotte ». Depuis sa découverte par Yves-Marie Froidevaux, dans les années 1960-1970, on s'interroge pour savoir si le mur cyclopéen, derrière la nef sud de Notre-Dame-sous-Terre, était un élément de ce sanctuaire primitif. La rusticité de cette construction montrerait la volonté des premiers bâtisseurs d'imiter le sanctuaire du mont Gargan. La difficulté est que, contrairement à ce qu'indique par deux fois notre texte, l'église ne serait pas au sommet du Mont, mais en contrebas. On peut toutefois comprendre l'expression en question dans un sens légèrement différent. Elle désignerait l'édifice comme une construction peu élevée, et de forme arrondie. Le lien avec le sanctuaire des

1. BOUET et DESBORDES 2003, *op. cit.*, lect. V.

Pouilles est cependant fortement souligné tout au long du texte. Servant, dans un premier temps, à la justification théologique pour l'établissement d'un sanctuaire michaélique dans nos lointaines contrées, le voici maintenant modèle à égaler, (« *exaequere* »), sinon à imiter.

Tout se passe comme si la communauté qui bâtissait son sanctuaire connaissait déjà son équivalent italien, avant même que des frères y aient été envoyés pour en ramener des reliques. Sans doute au moment de la rédaction de la *Revelatio*, la fondation du mont Gargan était-elle familière aux moines du mont Tumba ; le texte *Memoria* faisait partie du cycle liturgique montois, et notre rédacteur y fait plusieurs fois référence. Le sanctuaire du Gargan devait être connu des fondateurs par une tradition liturgique spécifique avant même leur établissement au mont Tumba. Dans cette logique, on comprend mieux pourquoi, une fois l'église construite, la nécessité d'aller dans les Pouilles rechercher des signes tangibles s'est imposée ; ils serviraient à authentifier l'œuvre entreprise. La manière dont l'abbé du mont Gargan reçoit les montois montre qu'il se comporte avec eux comme avec des frères. Son attitude illustre ce qui se dit lors du dialogue qui a lieu au début de la profession monastique. Au « Que demandes-tu ? » du père Abbé, le candidat répond : « la charité et la communion fraternelle ». Cela explique la facilité avec laquelle un lien de charité, « *caritatis connexio*[1] », s'établit entre les deux maisons. Tout le récit semble prendre alors une allure liturgique.

Le retour de moines montois est en effet raconté comme une longue célébration. En leur confiant « un morceau du petit manteau rouge déposé par l'archange en personne au mont Gargan sur l'autel qu'il avait construit de sa propre main et un morceau du marbre sur lequel il se tint »[2], l'évêque de Siponte valide la mission

1. BOUET et DESBORDES 2003, *op. cit.*, lect. VII.
2. BOUET et DESBORDES 2003, *op. cit.*, p. 20.

du nouveau sanctuaire et initie sa dédicace. Le retour des frères devient une véritable procession[1] au cours de laquelle « on ne peut dire avec quelle joie les provinces voisines manifestèrent leur allégresse lors de l'arrivée, pour ainsi dire, de l'archange. [...] Elles connaissaient également les miracles et les prodiges que, par l'intercession de son serviteur, le Seigneur accomplit en faveur des mortels ». Au cours de ce voyage, en effet, douze aveugles furent « illuminés » « et un plus grand nombre encore de personnes atteintes de maux divers retrouvèrent leur santé antérieure »[2]. C'était l'accomplissement de la prophétie d'Isaïe : « On verra la gloire du Seigneur, la splendeur de notre Dieu. [...] Alors les yeux des aveugles verront, les oreilles des sourds s'ouvriront. Alors le boiteux bondira et la bouche du muet criera de joie. Des eaux jailliront dans le désert, des torrents dans la steppe. [...] Ils reviendront ceux que le Seigneur a rachetés, ils arriveront à Sion avec des cris de joie. »[3] Lors de l'arrivée au Mont, la liturgie continue sans interruption car le retour des frères coïncide avec la fin des travaux ; leur accueil est présidé par l'évêque Aubert. Tous entrent alors dans un monde nouveau. Le récit semble devoir s'arrêter là assez brusquement par cette phrase de conclusion : « Jusqu'à ce jour, par son serviteur éminent, le Seigneur ne cesse d'accomplir ces mêmes prodiges quotidiennement en ce même lieu pour la louange et la gloire de son nom. »[4]

Reste pourtant la leçon VIII. Malgré son caractère un peu adventice, elle représente un texte capital. Elle nous rapporte en effet l'institution d'un collège de douze « clercs » par saint Aubert. C'est le véritable acte fondateur, après la dédicace. Nous lisons là une écriture seconde de la tradition montoise qui s'efforce d'effacer

1. *Revelatio*, lect. VII.
2. *Ibid*.
3. Is 35, 5-6, 10.
4. BOUET et DESBORDES 2003, *op. cit.*, p. 20.

la figure du « *sacerdos* » au profit d'Aubert. C'est le nouveau rédacteur qui a accolé, au cours de la leçon VII, le nom d'Aubert au titre de « *sacerdos* ». Le passage est significatif puisqu'il s'agit de la dédicace qui fait nécessairement intervenir une figure épiscopale. C'est ainsi que l'ancien personnage du *sacerdos* cède alors sa place à l'évêque. Aubert est nommé cinq fois dans l'ensemble du texte ; dans quatre occurrences, il est désigné comme *episcopus*. Il est montré comme un homme exerçant avec constance la vertu de prudence. Les passages relatant ses demandes de confirmation sont tous interpolés : le nouvel écrivain peut ainsi faire basculer le centre de gravité de toute l'œuvre vers l'évêque. Les *monachi* semblent alors pouvoir tomber définitivement dans l'oubli, ainsi que les deux églises qu'ils avaient bâties.

L'auteur actualise ainsi la tradition plus ancienne, présentant désormais l'évêque d'Avranches comme celui qui dispose de l'autorité légitime sur le Rocher ; il fait apparaître, comme établie dès l'origine, une situation qui, de fait, n'était devenue importante qu'au moment où s'est imposée cette nouvelle écriture du texte. La chute est intéressante car le rédacteur, tout en mettant au centre la figure d'Aubert, formule aussitôt une réserve sur l'avenir : « Il faut regretter que les successeurs de ce saint homme n'aient pas maintenu le même nombre de clercs installés en ce lieu. »[1] C'est annoncer là que l'œuvre n'a pas donné les fruits dont elle était porteuse, sans pour autant en reporter la responsabilité sur Aubert. C'est, pour le rédacteur, une manière de se situer et de se démarquer d'un passé qu'il ne reconnaît pas comme entièrement digne de ce qu'il vit avec ses confrères. Une telle remarque se comprend beaucoup mieux de la part de quelqu'un qui, connaissant la suite des événements, voulait signifier qu'un changement radical s'était produit dans la communauté d'origine ; changement qui permettait aux moines montois d'assumer le passé glo-

1. BOUET et DESBORDES 2003, *op. cit.*, p. 21.

rieux des premiers temps, sans pour autant se rendre solidaires d'un développement ressenti comme une infidélité. Ainsi, sur un premier récit de la fondation, viendrait se superposer une relecture qui témoignait d'une réforme déjà pratiquement terminée. Il est possible de mieux cerner ce processus en considérant la titulature des frères introduite par le nouveau rédacteur. Le terme « clercs », *clerici*, fait écho aux canons du concile d'Aix qui fut réuni en 817, selon lesquels le titre de « moine » serait désormais réservé aux membres des communautés qui adoptaient la règle de saint Benoît, telle que l'avait actualisée Benoît d'Aniane. Le rédacteur désigne donc sous le titre de « clercs » les moines qui vivaient au Mont avant que fût adoptée la règle qui venait d'être prescrite par Louis le Pieux[1].

En introduisant la figure d'un évêque dont le nom suggère une origine franque, évêque inconnu par ailleurs, le rédacteur de la *Revelatio* semble vouloir faire coup double. Tout en faisant allégeance à l'autorité épiscopale d'Avranches, par l'hommage rendu à Aubert, l'institution montoise renouvelée gardait une certaine distance avec ses successeurs. Cette situation est assez typique de l'ambivalence qui fut de mise entre le siège d'Avranches et l'abbaye du Mont-Saint-Michel, durant des siècles. Il faut encore ajouter ceci. Notre rédacteur peint Aubert non seulement comme fondateur mais comme premier bienfaiteur des clercs. Peut-être attribue-t-il à l'évêque ce qui constituait, dès le début, le patrimoine de la communauté montoise. Cette « donation » comporte deux *villae*, celle d'Itius et celle de Genêts, deux villages situés sur chacune des rives de la baie – le premier très proche du Mont au sud, le second plus loin et au nord. Ce sont deux points de passage importants pour atteindre le Rocher. Itius était connu dans l'histoire montoise comme le lieu d'origine de Bainus et de son

1. Fils de Charlemagne, il fut la cheville ouvrière de la réforme initiée par son père.

groupe. Genêts l'était sûrement au temps de notre rédacteur. Le texte affirme que le prélat prend ces biens sur l'*episcopium*, les « biens de l'évêché »[1], c'est-à-dire ceux dont l'évêque est le dépositaire au nom de l'Église, mais dont il ne peut, normalement, disposer librement. Cette donation est alors un cas d'espèce. Le rédacteur semble vouloir par là donner à entendre, cette fois aux autorités civiles, que la fondation montoise ne leur doit rien. Elle fut tout entière une œuvre ecclésiale. Ainsi, tout en réclamant une certaine autonomie vis-à-vis des successeurs d'Aubert qui ne surent pas prendre soin de son œuvre, il revendique la même indépendance à l'endroit du politique. Cet équilibre se révélera toujours très précaire.[2]

La situation dont fait état le dernier rédacteur de la *Revelatio* semble correspondre à celle de la région au moment où le Cotentin fut dévolu au duc de Bretagne par le roi Charles le Chauve en 867 : « Il faut supposer que les Bretons s'étaient emparés du pays et que le roi s'était incliné devant cette prise de possession. La façon dont les droits sur le Cotentin furent répartis est très révélatrice : le patrimoine foncier contrôlé par le roi est abandonné à Salomon avec les abbayes, en revanche Charles le Chauve se réservait l'évêché de Coutances. »[3] La pression sur la région était très forte. Or, les Bretons étaient à même de comprendre la portée du lien personnel qui pouvait exister entre un évêque et un monastère. Ils avaient l'exemple de saint Samson à Dol, mais aussi de celui de saint Pair dans le diocèse de Rennes. Ce dernier exemple était très parlant aux moines montois. Il témoignait de ce que, dans un passé déjà lointain, « la nature personnelle plus que territoriale de l'autorité

1. BOUET et DESBORDES 2003, *op. cit.*, p. 21.
2. BMA, Ms. 210. Cf. DOSDAT 2006, p. 116-117.
3. CHEDEVILLE, André, GUILLOTEL, Hubert, *La Bretagne des saints et des rois, V^e-Xe siècle*, Éditions Ouest-France, Rennes, 1984, p. 318.

épiscopale n'était pas un phénomène exclusivement breton : on le rencontrait aussi dans la zone gallo-franque »[1]. Or, le Mont se situant à la limite de ces deux entités, « séparant le pays d'Avranches de la Bretagne », il n'est pas étonnant que la communauté, qui vivait jusqu'alors loin du pouvoir central, ait cherché à préserver une autonomie suffisamment ancienne pour être incontestable, en se réclamant d'un évêque franc.

C'est dans ce contexte que nous situons la dernière rédaction de la *Revelatio* ; nous l'attribuons, non à l'évêque d'Avranches, non à un clerc, mais à un moine du Mont. Il n'est alors pas impossible que, donnant à la *Revelatio* sa forme définitive, il ait accompli sa tâche en ayant à l'esprit l'usage liturgique qu'on en ferait. En ce qui concerne la version précédente, qui faisait l'exégèse d'un récit source, elle semble pouvoir être située dans le mouvement de réorganisation religieuse suscitée par le concile d'Aix-la-Chapelle. Il fallut certainement remonter aux origines du monastère pour pouvoir préserver la singularité montoise tout en ne fermant pas la porte à la réforme qui s'imposait. « L'intérêt porté par Charlemagne au patronage de saint Michel dont il impose la fête en 813, [...] le désir de diffuser une même liturgie, comme l'homiliaire de Paul Diacre[2], à travers tout l'empire peuvent, nous semble-t-il, avoir suscité la première rédaction de la *Revelatio*. »[3] Quant au petit récit source mettant en scène le personnage de Bainus, il remonte, pour le fond, à une date plus ancienne encore, probablement sous forme d'une tradition orale. Cette lecture du texte nous ramène à la datation qui le commence. Nous posions la question de savoir auquel des Childebert il faisait allusion. Si la fondation au Mont est contem-

1. CHÉDEVILLE et GUILLOTEL 1984, *op. cit.*, p. 162.

2. « Les cinq textes qui entourent la *Revelatio* dans le manuscrit 211 sont tous des homélies de Paul Diacre [...] Nous serions tenté de croire que le dossier du manuscrit 211 accompagnait la *Revelatio* dès la première rédaction. »

3. *Ibid.*

poraine de Pair et de Scubilion, c'est de Childebert II qu'il s'agit.

La fondation du sanctuaire montois est donc plus ancienne que ne l'affirme l'historiographie habituelle. Elle serait le fait d'un petit groupe de moines qui connaissaient l'existence du sanctuaire michaélique des Pouilles et qui, sous la direction de Bainus, s'établirent durablement sur le mont Tumba dans la seconde moitié du VIe siècle. La communauté s'y serait développée au contact des colombaniens. La réforme carolingienne l'aurait, par la suite, incitée à écrire un récit de son histoire pour fixer les traits de son identité propre. Sous la pression des événements extérieurs, elle fut conduite à affirmer son droit à l'autonomie en se mettant sous le patronage d'un saint évêque, Aubert, dont le nom neustrien[1] rappelait, si besoin était, que le Mont n'était pas une fondation bretonne. Les listes épiscopales du diocèse sont muettes à son sujet. Elles ne nous sont connues, il est vrai, que par des exemplaires du XIe siècle et offrent, opportunément, une place pour Aubert entre Rehentranus, attesté après 680, et Jean Ier, vers 840. L'art de combler les lacunes de l'Histoire trouve ici une de ses plus remarquables expressions.

Même si beaucoup d'éléments nous échappent, nous pouvons cependant tenter de préciser quelques traits du monachisme montois depuis ses débuts jusqu'à l'abbatiat de Mainard, dans la seconde moitié du Xe siècle. Le groupe de moines qui s'installa sur le Rocher, sous la conduite de leur « père », dut se doter rapidement d'institutions structurantes. Le charisme d'un fondateur, fût-il exceptionnel, n'aurait pas résisté très longtemps à l'usure du quotidien. Ils avaient bâti un sanctuaire, ils devaient y assurer un service liturgique régulier. La vie monastique supposait, outre l'office choral, une lecture assidue de l'Écriture, accompagnée de commentaires

1. La Neustrie couvrait le grand quart nord-ouest de la France actuelle depuis Reims jusqu'à Tours au sud et la Bretagne à l'ouest.

patristiques qui faisaient autorité. Cela impliquait un travail d'écriture et la faculté de se procurer des livres ou d'en emprunter à d'autres monastères pour les recopier. Même s'il nous est impossible de rendre compte précisément du développement de la communauté durant ses premiers siècles, la *Revelatio* témoigne, cependant, de ce que son premier rédacteur avait une culture qui allait bien au delà de la simple mémorisation des textes bibliques. Pierre Bouet a pu relever de nombreux points de contact de notre texte avec des œuvres de l'Antiquité et du haut Moyen Âge[1]. On peut en déduire que le Mont possédait, au début du IXe siècle, des livres qui permettaient aux moines d'étudier la théologie, et rien ne laisse supposer qu'il s'agissait alors d'une nouveauté. Parmi les auteurs fréquentés, figuraient Augustin, Jérôme, Rufin, Césaire d'Arles, Jean Cassien, Cassiodore, Isidore de Séville, Grégoire le Grand et même Bède le Vénérable.

Il est intéressant de noter que la culture du moine montois faisait écho à celle que préconisait saint Benoît à la fin de sa règle : « Quant à celui qui aspire à la vie parfaite, il a les enseignements des saints Pères, dont la pratique conduit l'homme jusqu'aux sommets de la perfection. Est-il une page, est-il une parole d'autorité divine, dans l'Ancien et le Nouveau Testament, qui ne soit une règle très sûre pour la conduite de notre vie ? ou encore quel est le livre des saints Pères catholiques qui ne nous enseigne le droit chemin pour parvenir à notre créateur ? Et de même, les *Conférences* des Pères, leurs *Institutions* et leurs *Vies*, ainsi que la *Règle* de notre saint Père Basile sont-elles autre chose que des instruments de vertus pour des moines vraiment bons et obéissants[2] ? » Dans ce cadre, les *Conférences* et les *Institutions* de Jean Cassien, d'une part, les *Dialogues* de

1. BOUET et DESBORDES 2003, *op. cit.*, *Revelatio et origines du culte à saint Michel sur le mont Tombe*, p. 65-90.

2. *Reg.*, LXXIII, 1-19.

Grégoire le Grand, de l'autre, constituaient de véritables manuels d'initiation à la vie spirituelle.

Les allusions de la *Revelatio* aux *Dialogues* de Grégoire le Grand montrent le vif intérêt que porta assez tôt la communauté montoise au courant bénédictin. Un témoignage externe vient d'ailleurs confirmer cette sensibilité.

Dans la lettre dédicatoire qui accompagne sa *Vita Mauri*, en 864, Odon, abbé de Glanfeuil, rapporte, non sans une pointe d'humour, la rencontre qu'il fit avec un moine du Mont : « Alors que nous longions les rives toutes proches du fleuve dont nous avons parlé (Ararim, la Saône), nous avons rencontré un groupe d'hommes qui ne passaient pas inaperçus. Il y avait déjà un certain temps qu'ils avaient gagné Rome pour y visiter les lieux saints et prier. Ils se hâtaient de regagner leur région d'origine. À cause de la fatigue occasionnée par une si longue route, ils s'étaient arrêtés pour décharger leurs bêtes et attendre avec nous un embarquement. Nous leur avons alors posé, avec une avide et amicale curiosité, de très nombreuses questions sur l'emplacement et la disposition des lieux saints, sur le respect qu'on y avait à l'égard de la sainteté et de la foi, mais aussi sur le zèle pour le culte divin et la fidélité aux obligations ecclésiastiques, sur la connaissance des dogmes catholiques et les lumières qu'ils avaient en la matière. Et comme il arrive en pareilles circonstances, nous avons reçu des réponses plus nombreuses que les questions posées. C'est alors que j'ai découvert dans le bagage d'un clerc qui, comme il l'assurait, s'appelait Pierre – selon ses dires, cela faisait deux ans qu'il était parti du canton (*pagus*) d'Avranches, du lieu-dit (*locus*) saint Michel, qui est appelé « aux deux Tombes » – de petits quaternions, presque hors d'usage tant ils étaient vieux. Ils étaient écrits dans une écriture ancienne et grossière, et contenaient la vie du bienheureux Benoît et de cinq de ses disciples : Honorat, bien sûr, Simplicius, Théodore, Valentinien et Maure. J'ai fini par les acheter avec bien du mal, et pour une somme conséquente. Et, comme, en raison et de l'inculture et de la piètre qualité des écrivains, les récits que nous avions semblaient mauvais, je me suis donné le mal de les corriger au prix d'un travail exténuant, en vingt et un jours environ, grâce à la fiabilité des récits de miracles que j'ai trouvés là. Et, à ce qu'on dit, j'ai rendu le récit plus clair aux lecteurs. »[1] La désignation de Pierre comme *clericus* peut indiquer que lors de la rencontre, qui n'était pas récente au moment où l'abbé rédigeait sa lettre, Pierre était vraisemblablement un oblat étudiant de l'abbaye montoise. Il n'avait pas encore fait profession monastique. Le contenu des livres qu'il ramenait de Rome indique que son monastère s'intéressait si bien à la tradition bénédictine qu'elle avait su donner à son clerc une formation suffisante qui lui permit de trouver des ouvrages dont le choix était si pertinent qu'ils fournirent à un éminent abbé une source fiable pour amender une œuvre qui était essentielle pour ses moines. On peut parler de tradition montoise en la matière.

Monastère en mutation, le Mont était devenu, à cette époque, un lieu de pèlerinage suffisamment important pour figurer sur des itinéraires conduisant à Rome ou à Jérusalem. Même le dernier rédacteur de la *Revelatio* qui projetait sur les commencements une vision idéalisée de ce qu'il voyait autour de lui témoignait d'une fréquentation ancienne du sanctuaire montois. Dans ce lieu, « afflue la foule pieuse des fidèles, venant du monde entier, pour demander par ses prières l'aide de l'archange »[2]. S'y rendent « les gens pieux qui désirent gagner le sanctuaire du bienheureux archange Michel »[3]. Avec la *Vita Frodoberti*, œuvre d'Adson, abbé du monastère clunisien de Montier-en-Der, écrite vers 980, notre connaissance fait un pas. Cette œuvre révèle, en effet, l'identité du plus ancien pèlerin connu : un certain Ratbert. Il venait des

1. *Acta Sanctorum*, jan. t. II, p. 334.
2. BOUET et DESBORDES 2003, *op. cit.*, p. 17, lect. II.
3. BOUET et DESBORDES 2003, *op. cit.*, p. 17, lect. III.

environs de Melun. À la suite du meurtre de sa mère, il avait été condamné à trois ans de prison, au cours desquels il tomba malade. Avant qu'il meure de faim, on le libéra, à condition qu'il fît un pèlerinage pénitentiel jusqu'au tombeau de saint Pierre, en passant par certains sanctuaires. C'est ce qui le conduisit au Mont : « il gagne l'église de saint Michel qui depuis les temps anciens est appelée aux deux Tombes ». De là, il gagna Rome « où régnait déjà Adrien »[1]. Ratbert est donc probablement venu au Mont aux alentours de 868. Il était contemporain du clerc Pierre dont parle Odon de Glanfeuil.

À cette époque encore, le moine Bernard écrivit le compte rendu de son pèlerinage en Terre sainte. Son *Itinerarium* mentionne un séjour au Mont vers 870. C'était la dernière étape, peut-être même le terme, de son périple. Il est suffisamment renseigné sur le Mont et les mœurs de la région pour donner à penser qu'il pouvait être lui-même un moine montois. Son itinéraire est impressionnant. Il s'était rendu d'abord au mont Gargan, qu'il décrit avec précision. Or, on sait les liens du Mont avec ce sanctuaire. De Bari, Bernard s'embarque pour l'Afrique, afin de gagner la Terre sainte par Tripoli, Alexandrie, Gaza, Emmaüs ; de là il monte à Jérusalem où il s'attarde afin de visiter les Lieux saints, puis il se rend à Béthanie et à Bethléem. Il revient par le mont Aureus (en Calabre ?) et se rend à Rome. Là, il se sépare de ses compagnons et arrive à « Saint Michel aux deux Tombes qui est situé sur une montagne qui s'avance à deux lieues dans la mer ». Bernard donne alors des renseignements précieux : « Au sommet de ce mont, il y a l'église de saint Michel et la mer l'entoure deux fois par jour entièrement, c'est-à-dire le matin et le soir ; les hommes ne peuvent s'y rendre jusqu'à ce que la mer se retire. À la fête de saint Michel, cependant, elle ne fait

1. ADSON, *Vita Frodoberti*, Migne, 1852, pl. 137, col. 616. Il s'agit du pape Adrien II qui occupa le siège apostolique jusqu'en 872.

pas totalement le tour de ce mont en en couvrant tout le pourtour, mais elle dresse comme des murs à droite et à gauche. Et en ce jour solennel tous ceux qui viennent prier peuvent s'y rendre à toute heure, ce qu'ils ne peuvent les autres jours[1]. » Il termine sa relation en donnant le nom de l'abbé : « *Ibi est abbas Phinimontius Brito.* » On peut remarquer d'abord que Bernard donne au Mont un appellation qui semble courante dans cette seconde moitié du IXe siècle : « Saint Michel aux deux Tombes ». Cette expression semble englober Tombelaine, qui non seulement devait appartenir au monastère montois mais abritait aussi un sanctuaire qui avait acquis une certaine notoriété. Peut-être est-il à l'origine de Notre-Dame de Tombelaine qui connaîtra une fréquentation assez importante à partir du XIIe siècle. En outre, le titre d'« abbé » qu'il donne au supérieur est nouveau. Il montre qu'à cette date la communauté s'était déjà réformée et avait adopté, au moins, les grands principes de l'organisation bénédictine. L'abbé d'alors est breton, ce qui est conforme à ce que nous savons de la situation politique et du découpage religieux de la région. Dom Jean Laporte fait une remarque intéressante au sujet de son nom : « Ce mot [*Phinimontius*] est, soit une translittération d'un vocable breton, on ne voit pas lequel, soit plutôt la traduction de *Pentale*, “le bout de la hauteur” (Finis + montis + ius, suffixe d'origine). *Pentale* est un nom de lieu, désignant comme on le sait le monastère fondé par saint Samson à *La Roque*, sur l'estuaire de la Seine. Cet abbé en serait-il venu ? [...] *Pentale* dépendait de Dol. »[2]

Le Mont était donc, par vocation, un lieu de pèlerinage autant qu'un lieu de solitude monastique. Tout au

1. *Itinerarium Bernardi*, in *Itinera hierosolymitana et descriptiones Terrae Sanctae*, I, 2, Tobler, Genève, 1880, p. 309. BERNARDUS, monachus Francus, *Itinerarium*, Migne, 1852, pl. 121, col. 572-574, n° 18.

2. *Millénaire... op. cit.*, t. 1, p. 54.

long de son histoire, il eut à gérer cette contradiction constitutive : offrir un espace pour la vie solitaire, et en même temps accueillir les foules qui s'y succédaient, plus ou moins nombreuses selon les saisons et les époques. Il a ainsi fallu construire un monastère isolé, tout en développant, malgré l'étroitesse du lieu, des structures d'accueil aussi bien pour ceux qui aidaient les moines dans leurs besoins quotidiens que pour les pèlerins. Très tôt, un village vint s'implanter au-dessous du monastère. Vivre sur un rocher isolé nécessitait des moyens qui puissent assurer une liaison constante entre le Rocher et le continent. L'auteur de la *Revelatio* connaissait bien la situation : « Ce lieu [...] offre également aux habitants d'un côté et de l'autre un espace qui n'est pas trop resserré. [...] Aucune activité profane ne peut s'y développer : l'endroit ne convient qu'aux personnes qui se proposent d'honorer le Christ[1] ». Si la place faisait défaut pour y déployer une activité économique propre à procurer aux occupants leur subsistance, elle permettait cependant une certaine répartition des habitats. Le village s'est implanté sur la pente est du Rocher, assurant par là même une transition entre le monde extérieur, le siècle, et le monastère, espace privilégié de prière et de réflexion, organisé autour de l'église couronnant le Rocher. Cette répartition se maintint au cours des siècles. Les deux ensembles ainsi distribués se développèrent au fur et à mesure des besoins matériels aussi bien que spirituels : les moines au nord et à l'ouest, les laïcs à l'est et au sud. Avec l'essor des pèlerinages, l'hospitalité devint pour tous une tâche importante. Les moines, mais aussi les villageois en tiraient d'ailleurs des revenus substantiels.

Tout ceci montre que, dès l'époque de la rédaction ultime de la *Revelatio*, la communauté monastique avait déjà plusieurs siècles d'histoire. Elle avait dû s'adapter afin de poursuivre sa mission et était ainsi parvenue à

1. BOUET et DESBORDES 2003, *op. cit.*, p. 17, lect. III.

mettre en place les grandes institutions qui feront sa grandeur : la communauté s'était structurée durablement, le pèlerinage avait acquis une renommée qui dépassait les frontières, le Mont était devenu un des lieux marquants de la chrétienté occidentale.

CHAPITRE II

L'ENRACINEMENT

Même si l'abbaye montoise semble avoir été préservée des coups de force des Vikings qui cherchaient de nouvelles terres à conquérir, la région connut, depuis la seconde moitié du IXᵉ siècle, une période incertaine : les Normands, en 890, remontèrent la Vire et prirent Saint-Lô. Après la paix conclue avec Rollon, en 911, le danger vint de ceux qui s'étaient implantés dans la vallée de la Loire. Ils trouvèrent en Bretagne un nouveau terrain de pillage et s'installèrent dans le nord du comté de Rennes, à Trans, d'où ils furent chassés en 939. « Aucune attaque contre le Mont-Saint-Michel n'est attestée bien que les traces de l'activité scandinave ne manquent pas localement. »[1] Le Mont, même s'il fut épargné, vit cependant son domaine gravement touché par les conflits environnants ; les revenus de l'abbaye furent certainement drastiquement réduits du fait de l'instabilité des échanges.

La paix revenue, s'il faut en croire l'*Introductio monachorum*, Richard Iᵉʳ, duc normand de 943 à 996, « se

1. KEATS-ROHAN, Katharine S. B., « L'histoire secrète d'un sanctuaire célèbre. La réforme du Mont-Saint-Michel d'après l'analyse de son cartulaire et de ses nécrologes », in *Culte et pèlerinages à saint Michel en Occident : les trois monts dédiés à l'Archange*, École française de Rome, 2003, n° 316, p. 150.

réjouissait au plus haut point d'avoir dans les limites de sa juridiction un lieu d'un tel prestige »[1]. Plus question alors de pillages, il s'agissait de s'assurer que la réforme carolingienne portât au Mont de bons fruits. Or, elle ne se fit pas sans heurts ni tentations de retour au passé. « La réforme monastique proprement dite, réalisée par saint Benoît d'Aniane, disparut peu après lui, étouffée par les guerres fratricides des fils de Louis le Pieux et par les invasions normandes. Il avait appuyé son œuvre sur la puissance impériale, base singulièrement fragile. L'appui venant à manquer, les monastères se hâtèrent de secouer le joug d'une uniformité trop absolue. »[2] Il semble bien que dans la seconde moitié du Xe siècle, il fallut reprendre les choses en main. C'est tout le sens de l'*Introductio monachorum*, plaidoyer élaboré, au XIe siècle, pour réclamer au duc la liberté légitime des moines en matière d'élection abbatiale. Ce texte fut rédigé en suivant le modèle de la *Revelatio*. Le passé de l'abbaye y est relu en illustrant la phrase que nous avons relevée concernant la décadence annoncée de l'œuvre aubertienne. L'incurie des « clercs » montois, appelés désormais « chanoines », était devenue telle que le duc décida de leur « substituer l'ordre monastique ». Il mit alors en demeure les mauvais desservants d'adopter la règle de saint Benoît ou de partir. Seuls deux acceptèrent ses conditions : Durand et Bernier. Le premier embrassa l'état monastique alors que le second, plus âgé, chercha à tromper tout le monde. Malgré ses ruses, il ne réussit cependant pas à enlever le corps de saint Aubert de la cachette où il l'avait précédemment placé pour s'approprier les reliques du fondateur. L'homme chassé, les nouveaux moines purent arriver : le duc Richard « entra dans la vénérable église avec des can-

1. BOUET, Pierre, DESBORDES, Olivier, POULLE, Emmanuel, *Cartulaire du Mont-Saint-Michel*, fac-similé du manuscrit 210 de la Bibliothèque Municipale d'Avranches, Les Amis du Mont-Saint-Michel, 2005. Introduction, p. 33.

2. SCHMITZ, Philippe, *Histoire de l'ordre de saint Benoît*, Maredsous, 1942, t. 1, p. 100.

tiques de louange et des hymnes, y établit les moines et confia leur direction à Mainard, homme d'une éminente noblesse et d'une sainteté achevée »[1]. Le passé du monastère ainsi relu appelait un sauveur. Pour accentuer même l'urgence d'un changement radical, il fallait créer une figure maléfique. On choisit Bernier. Or, il occupait une cellule à côté de l'église : celle qu'occuperont, après lui, les abbés avec leurs principaux officiers. Cette indication pourrait signifier que cet individu, maintenant abhorré, fut le prédécesseur de Mainard. La communauté s'était peut-être divisée au sujet de la réforme. Une partie des moines, sous la conduite de Bernier, aurait cherché à revenir à un strict particularisme montois, alors que l'autre clan était résolument du côté de la réforme. Le débat fut sans doute porté devant le duc. L'abbé refusant de venir à résipiscence fut chassé avec ses partisans. L'autorité protectrice fit appel à un moine de l'extérieur, Mainard, pour ramener la paix dans les murs de l'abbaye. Il peut avoir amené avec lui quelques compagnons. La décision fut-elle, comme l'*Introductio* l'affirme, l'œuvre du seul duc normand ? Cela ne manque pas de surprendre à une époque où le voisin breton exerce encore sur l'abbaye une influence certaine. Certes, en 933, le Cotentin et l'Avranchin avaient été remis par le roi Raoul de France au duc normand Guillaume Longue-Épée et la sphère d'influence bretonne s'en trouva réduite, mais le Mont semble encore avoir échappé, pour un temps, à la nouvelle tutelle : « Au nord-est de la Bretagne le littoral de la baie du Mont Saint-Michel a été âprement disputé par Bretons et Normands. Jusqu'à la mort de Geoffroy, en 1008, il ne fait aucun doute que la frontière entre le Rennais et l'Avranchin ait suivi le cours de la Sélune. »[2] Conan Ier, qui devint comte de Rennes à partir de 958,

1. BOUET, DESBORDES, POULLE, *Cartulaire du Mont-Saint-Michel*, *op. cit.*, Introduction, p. 34.

2. CHÉDEVILLE, André, TONNERRE, Noël-Yves, *La Bretagne féodale, XIe-XIIIe siècle*, Éditions Ouest-France, Rennes, 1987, p. 56.

s'intéressa longtemps encore à l'abbaye montoise. Il fut, en effet, présent lors de la confirmation d'une donation à l'abbaye du Mont-Saint-Michel, en présence des évêques bretons, le 28 juillet 990. Il n'était plus alors seulement comte de Rennes, mais « *Princeps Britannorum* ». Deux ans plus tard, il mourut à Conquereuil lors de la bataille qu'il livrait à son concurrent de Nantes ; c'est dans l'église abbatiale du Mont qu'il fut inhumé, comme si cela était naturel. Le duc Geoffroy Ier qui lui succéda le fut aussi, mais un changement était intervenu qui rapprochait les maisons ducales de Bretagne et de Normandie : Geoffroy, peu après son avènement en 992, avait épousé Havoise, fille de Richard Ier. Par la suite, il maria sa fille Judith à Richard II. Ce dernier mariage fut célébré au Mont. Enfin, Geoffroy, comme son père, choisit là son lieu de sépulture. Selon les historiens André Chédeville et Hubert Guillotel, « le mont Saint-Michel fut alors pour les ducs de Bretagne de la maison des comtes de Rennes d'une certaine façon ce que Saint-Denis était pour les rois de France »[1]. Il demeurait donc dans l'orbite bretonne, même si la puissance montante dans la région était incontestablement la maison de Normandie. Rappelons qu'Alain III de Bretagne était mineur à la mort de son père, en 1008. « Durant la minorité du duc il est très probable qu'Havoise, princesse normande, soit restée très proche de son frère Richard II qui fait de la Normandie la plus forte principauté du royaume. Le lien était d'autant plus fort que lui-même avait épousé la sœur de Geoffroy : Judith[2]. » Il est donc probable que le choix de Mainard fut le fruit d'un compromis entre les deux ducs voisins d'alors, Richard Ier et Conan Ier. C'est avec le successeur de Richard que la domination normande sur le Mont fut pleine et entière : « En 1030, Robert le

1. CHÉDEVILLE, André, GUILLOTEL, Hubert, *La Bretagne des saints et des rois, V^e^-Xe siècle*, Éditions Ouest-France, Rennes, 1984, p. 336.
2. CHÉDEVILLE, TONNERRE 1987, *op. cit.*, p. 40.

Magnifique [...] tentait une politique d'hégémonie vis-à-vis de la Bretagne ; une rencontre entre les deux ducs fut organisée au Mont Saint-Michel et là Alain accepta de se placer dans la vassalité de Robert. »[1]

Si Mainard n'instaura pas au Mont la vie bénédictine, son arrivée sur la stalle abbatiale marque néanmoins une rupture définitive avec plusieurs pans du particularisme montois. C'est sûrement lui qui fit adopter, dans son intégralité, la règle de saint Benoît par la communauté. La tradition courante fait de lui l'abbé restaurateur de l'abbaye de Saint-Wandrille. Cette affirmation se fonde sur un extrait des Annales du Mont, commencées au début du XIIe siècle : « En l'an 942 fut tué Guillaume, fils de Rollon. Richard, son fils, lui succéda ; il fut le premier qui mit des moines dans l'église de saint Michel au péril de la mer, en l'an du Seigneur 966 : Mainard naturellement, le premier abbé, qui avait été abbé de saint Wandrille pendant cinq ans, un autre Mainard, son neveu, et d'autres moines. »[2] Le texte serait incontestable s'il ne s'agissait pas d'une leçon du XVe siècle. Robert de Torigni semblait l'ignorer. Dans sa *Chronique*, il mentionne bien l'existence d'un abbé Mainard à Saint-Wandrille mais c'est en 964. Pour 966, il est muet. Silence franchement gênant. Une bonne main l'a effacé par une note marginale : « Cette année-là Richard le marquis des normands a chassé les clercs séculiers de ce mont, et y a rassemblé des moines sous la règle de saint Benoît pour servir Dieu en tous temps. »[3] Robert distingue en fait le Mainard du Mont auquel il fait allusion dans la suite de son texte de celui de Saint-Wandrille. « Le Mainard, disciple de Gérard de Brogne, qui tenta sans succès de refonder Saint-Wandrille sur l'ordre

1. *Ibid.*, p. 41

2. *Annales*, Bibliothèque municipale d'Avranches (BMA), Ms. 213, fol. 170. Cf. ROBERT DE TORIGNI, *Chronique*, édition établie par Léopold Delisle, Librairie de la Société de l'histoire de Normandie, Rouen, 1873, t. 2, p. 231.

3. *Chronique,* t. 1, p. 26.

du duc Richard Ier, n'était pas la même personne que Mainard Ier du Mont-Saint-Michel. [...] Mainard était manifestement un noble neustrien avec de très bonnes relations. Il donna à sa communauté une nouvelle vie et vigueur après une période de difficulté au tournant du Xe siècle. »[1]

L'étude des obituaires, qui indiquent pour chaque jour les noms de bienfaiteurs pour l'âme desquels les moines prient, celle du martyrologe qui donne le nom des saints à honorer ainsi que celui des frères défunts dont on fait le souvenir montrent que, d'une part, des recommandations auprès des moines du Mont existaient bien avant Mainard – et même avant l'abbé Phinimontius, puisque la plus ancienne remonterait à 851 environ – et que, d'autre part, le Mont, au temps de Mainard, fournit des abbés ainsi que des évêques : Hériward devint abbé de Gembloux (il mourut en 991, la même année que Mainard), Gérard celui de Saint-Wandrille, Gauzlin fut abbé de Fleury puis évêque de Bourges, Fulbert devint évêque de Chartres. « Le nécrologe rend compte plutôt de la longévité et de la stabilité de la communauté bénédictine sur le Mont-Saint-Michel, et de son ancrage dans la noblesse neustrienne. »[2] Dom Laporte, pour sa part, notait : « De ces listes on retiendra d'abord la préférence des Montois pour les monastères de Bretagne, Maine et Touraine au début du XIe siècle, alors que les Normands n'ont pas encore été attirés par la vie monastique[3]. » Ceci se trouve confirmé par Michel Le Pesant : « Au VIIIe et au IXe siècle, c'est surtout avec la province de Tours et les évêchés de Bretagne que le Mont a entretenu sa vie spirituelle. »[4]

1. KEATS-ROHAN 2003, *op. cit.*, n° 316, p. 152 et 159.

2. *Ibid.*, p. 159.

3. Dom LAPORTE, Jean, *Les obituaires du Mont-Saint-Michel*, in *Millénaire...*, *op. cit.*, t. 1, p. 739.

4. LE PESANT, Michel, *Relations du Mont avec d'autres abbayes normandes*, in *Millénaire...*, *op. cit.*, t. 1, p. 749.

Mainard fut suffisamment marquant pour qu'il soit tenu comme un véritable fondateur. À partir de sa prise de fonction, le Rocher connut un nouvel élan. Sous son abbatiat, la situation économique de l'abbaye semble se rétablir et même se développer. En 982, en effet, l'abbé du Mont obtint de saint Maïeul, alors abbé de Marmoutier, la cession d'un arpent de vigne ; en 990, le comte Conan de Bretagne lui restitue les villages d'Armois, de Passilei, d'Istel et de Perdulit.

Peut-être est-ce lui encore qui a mené à bien la construction du complexe monumental dont Notre-Dame-sous-Terre est le dernier témoin... Cette chapelle forme un quadrilatère de treize mètres sur onze. Elle est divisée en deux nefs par un imposant épi central. Chacune d'elles se termine à l'est par une absidiole à fond plat. Alors qu'aujourd'hui elle est totalement enchâssée dans les substructures de l'église romane du XIe siècle, elle était alors éclairée par des fenêtres sur trois de ses parois. Seules les absidioles étaient aveugles car elle s'adossent plus ou moins directement au rocher. Cette crypte semble, d'après son restaurateur dans les années 1960, Yves-Marie Froidevaux, avoir d'abord été couverte d'une charpente puis voûtée au XIe siècle ; les absidioles auraient alors été modifiées pour recevoir de petites tribunes. Contrairement à ce que soutenait Paul Gout, Notre-Dame-sous-Terre ne fut jamais église abbatiale. En revanche, il avait bel et bien retrouvé cet édifice, en 1908, quand il dégagea les fondations d'un bâtiment, sous le dallage de la nef romane actuelle. On peut se faire une idée de cette église en remarquant au sol de la nef des marques rouges qui indiquent l'emplacement des trouvailles. Il s'agit d'un quadrilatère « d'environ 25 mètres sur 12 mètres, assis au sommet du rocher en prolongement des murs latéraux de la petite église bâtie à l'ouest (Notre-Dame-sous-Terre[1]). [...] À l'extrémité est, une aile de 9 mètres 50 de largeur, sur une longueur qu'il faut renoncer à connaître, la crypte

1. C'est nous qui précisons.

romane ayant fait disparaître une partie indéterminée »[1]. La construction suit la pente du rocher : la partie plus étroite est précédée d'emmarchements. Il semble avoir été précédé à l'ouest d'un narthex où a été trouvée une sépulture. La porte d'entrée se situait au sud. On a donc une église à une nef unique, avec un chœur un peu surélevé qui était fermé par une abside dont on ignore la profondeur aussi bien que la forme. C'était un sanctuaire important pour l'époque. Chacune des parties offre, par ailleurs, des analogies avec des édifices reconstruits après la pacification des Normands. Maylis Baylé cite ainsi Saint-Martin-de-la-Lieue, la chapelle de Tercey, Saint-Jean-de-Livet, Ouilly-le-Vicomte[2]. Chacun trouvait dans cette église sa place particulière : les fidèles, dans la nef unique et les moines, dans le chœur, surélevé de trois marches, à proximité de l'autel. On avait pris soin d'orienter l'édifice afin que la lumière de l'aube[3] vînt y signifier le Christ ressuscité, selon les derniers versets de l'hymne *Benedictus*, chanté aux laudes, au lever du jour. Le Christ y est proclamé : « Soleil levant, lumière d'en haut sur ceux qui gisent dans la mort, et guide pour nos pas au chemin de la paix » (Lc 1, 78).

Tous les auteurs sont d'accord pour affirmer que ces constructions sont du Xe siècle. Ils divergent quand il s'agit de dater plus précisément. Certains penchent pour le tout début du Xe. Notre-Dame-sous-Terre alors serait contemporaine de la période de domination bretonne sur la région[4]. Christian Sapin a récemment mené une

1. GOUT, Paul, *Le Mont-Saint-Michel, histoire de l'abbaye et de la ville. Étude archéologique et architecturale des monuments*, Paris, 1910, t. 2, p. 398, Culture et Civilisation, Bruxelles, 1979.

2. BAYLÉ, Maylis, *Le Mont-Saint-Michel, histoire et imaginaire*, Anthèse – Éditions du patrimoine, Paris, 1998, p. 102.

3. Les églises sont pour la plupart orientées : leur abside se trouve à l'est. Elles ne sont pas tournées vers Jérusalem comme on le trouve écrit ici ou là. En christianisme, il n'y a pas à proprement parler de géographie sacrée.

4. DÉCENEUX, Marc, *Mont-Saint-Michel. Histoire d'un mythe*, Éditions Ouest-France, Rennes, 1997, p. 155.

étude sur la structure physico-chimique des briques qui se trouvent dans les maçonneries des différentes parties de Notre-Dame-sous-Terre. Il établit deux phases de construction[1] : la première, aux alentours de 950, aurait vu l'édification d'une église à une seule nef, la seconde, vers 980, aurait consisté à construire le mur de refend qui divise désormais l'édifice primitif en deux, avec l'aménagement des absidioles. On peut induire une date similaire pour la construction de l'église haute[2]. La masse disproportionnée de l'épi médian de Notre-Dame-sous-Terre par rapport à la grandeur de l'édifice se justifie si l'on tient compte du fait que les constructeurs du xe siècle ont évolué dans leur projet. En divisant leur construction première en deux nefs, non seulement ils rappelaient le sanctuaire du mont Gargan[3] mais ils pouvaient encore envisager de construire un vaste porche, devant l'église haute, qui aurait constitué une véritable « anté-église », selon l'expression de Maylis Baylé[4]. Ce type d'édifice est caractéristique de la période carolingienne. Dans la seconde moitié du xe siècle, le temps pour une telle construction était cependant passé et l'incendie qui ravagea une bonne partie de l'abbaye en 992 a pu précipiter l'abandon de ce projet pour laisser place à celui de l'église romane.

Dudon de Saint-Quentin, chargé de célébrer la gloire des premiers ducs de Normandie, écrit, à propos du duc

1. SAPIN, Christian, *et alii. Les terres cuites architecturales comme sources d'information chronologique et technique pour l'histoire de la construction de bâtiments romans : l'exemple de Notre-Dame-sous-Terre (Mont-Saint-Michel, Manche)*, medieval-europe-paris-2007.univ-paris1.fr

2. Il serait donc vivement souhaitable qu'une investigation scientifique du même type fût entreprise sur les bases des murs trouvés par Paul Gout.

3. BAYLÉ, Maylis, « L'architecture liée au culte de l'archange », in *Culte et pèlerinages à saint Michel en Occident : les trois monts dédiés à l'Archange*, École française de Rome, 2003, n° 316, p. 452.

4. *Ibid.*, p. 461.

Richard Ier, que « sur le mont situé dans la mer, qui est entouré par la masse des flots qui vont et viennent l'inonder alternativement de tous côtés selon le cours de la lune, il fit construire un sanctuaire d'une étonnante grandeur et une vaste maison d'habitation pour les moines : et là, il obligea les moines à servir le Christ »[1]. Par-delà son expression emphatique, notre laudateur semble faire allusion à Notre-Dame-sous-Terre, à l'abbatiale préromane ainsi qu'au monastère attenant. Tout ce que l'on peut deviner de ces bâtiments monastiques, en dehors du complexe de l'église, est très fragmentaire. Il est peut-être possible d'en saisir quelques références dans l'*Introductio monachorum*[2]. Son auteur fait, en effet, allusion à la chambre (*cubiculum*) contiguë à l'église, qui aurait existé avant l'abbatiat de Mainard et qui aurait été épargnée par l'incendie de 992. Elle était destinée à l'abbé et aux gardiens de l'église : le chantre, le trésorier et l'aumônier. Il ne peut s'agir que d'un logement d'une certaine ampleur. Ainsi, bien avant Robert de Torigni, il y avait un logis abbatial, distinct des locaux de la communauté. Ceci est conforme à ce que nous savons de la pratique de saint Benoît lui-même. La règle ne fixe, il est vrai, aucune norme précise sur ce point ; elle traite cependant le père Abbé de façon particulière : « La table de l'abbé sera toujours avec celle des hôtes et des pèlerins. Mais quand il n'y a pas d'hôtes, il peut appeler à sa table ceux qu'il voudra d'entre les frères. Qu'il laisse pourtant un ou deux anciens avec les frères à cause de la discipline. »[3] Outre sa table à part, l'abbé avait aussi une résidence qui

1. DUDON DE SAINT-QUENTIN, *De moribus et actis primorum Normanniae ducum*, lib. III, Migne, 1852, pl. 141, col. 749.

2. Dom LE ROY, Thomas, *Les curieuses recherches du Mont-Saint-Michel*, édition Eugène de Robillard de Beaurepaire, Caen, 1878, t. 1, p. 409-464. Il est suivi d'un recueil de *miracula*.

L'*Introductio monachorum* proprement dite a été traduite sous le titre *Installation des moines sur le Mont-Saint-Michel* par les professeurs BOUET et DESBORDES, dans l'édition du *Cartulaire* parue en 2005, sous la direction des Amis du Mont-Saint-Michel, p. 31-36.

3. *Reg.*, cap. 56.

lui assurait une autonomie nécessaire pour remplir sa fonction, en particulier quand elle le mettait en contact avec les gens du dehors.[1]

Mainard Ier mourut en 991, laissant le siège abbatial à son neveu, Mainard II. Ce dernier fut-il élu, comme la règle le prévoit ? Fut-il imposé par le duc rennais dont il était très proche ? Toujours est-il que le nouvel abbé ne fut l'objet d'aucune contestation interne. C'est lui qui fournira une sépulture montoise à Conan Ier et à son successeur Geoffroy. C'est encore sous son abbatiat que Judith de Bretagne et Richard de Normandie convolèrent en ce lieu qui devenait ainsi symbolique pour les deux puissances régionales ; elles scellaient là une alliance qui contenait en germe cependant bien des rivalités à venir.

De cette époque, date une liste des moines vivants alors sur le Rocher. Ils sont cinquante. On a ajouté à leur nombre quarante moines défunts, parmi lesquels Mainard Ier et Heriward. Cette liste fut copiée, au Mont, sur un sacramentaire de l'abbaye de Fleury, probablement à la demande de Gauzlin, moine montois devenu abbé sur les bords de Loire, entre 1005 et 1009 : « Voici les noms des frères vivants : le seigneur abbé Mainardus, Hildebertus, Vualcherius, Rainaldus, Gualtierus, Herimarus, Frotmundus, Hedelmanus, Mainardus, Francus, Mainardus, Vitalis, Anffridus, Harduinus, Almodus, Bona Fides, Riculfus, Hermenulfus, Hervardus, Drocus, Bernardus, Gauzbertus, Gislebertus, Teudo, David, Hodo, Aiulfus, Vualdricus, Algerius, Gauffredus, Burcardus, Anschetellus, Mainardus, Vuascelinus, Hedelbertus, Ansgerius, Goduinus, Hosmundus, Drocus, Rotgerius, Richardus, Franco, Rotgerius, Rainaldus, Ebremarus, Goscelmus, Martinus, Hosbernus, Bertrannus, Vitalis, Burnincus. »[2]

1. *Reg.*, cap. 53.

2. GREMONT, Denis et DONNAT : « *Fleury, le Mont-Saint-Michel et l'Angleterre à la fin du Xe siècle et au début du XIe siècle* », in *Millénaire…*, *op. cit.*, t. 1, p. 783.

On peut remarquer que la famille Mainard poussa plusieurs de ses rejetons sur le Rocher. Selon K. Keats-Rohan, on trouve d'autres noms apparentés au comte du Maine, Rorgon : Gauzlin, Roger, Goscelin, Ebremar, Almod. Aussi peut-on conclure avec elle que « le Mont-Saint-Michel a tiré ses moines de la haute noblesse neustrienne »[1] et était en relation avec « les grands courants réformateurs, Cluny, Gorze, Fleury ». Il n'était donc pas surprenant que l'étude tînt une place de choix dans une telle communauté. Les manuscrits encore présents au catalogue de la bibliothèque municipale d'Avranches sont bien sûr loin de refléter l'étendue de la culture monastique des IXe et Xe siècles. Ils témoignent, cependant, d'un travail sérieux au *scriptorium*. On y lisait alors non seulement des sermons de saint Augustin[2], mais aussi certains de ses travaux exégétiques, en particulier son *Speculum*[3], qui met en parallèle les deux Testaments de la Bible, pour montrer comment le Nouveau accomplit l'Ancien. Ceci dénote – outre l'intérêt qu'on se devait de porter à celui qui nourrissait alors la réflexion de tout l'Occident et qui était en quelque sorte la référence fondatrice du langage théologique – la volonté de s'approprier l'Écriture avec intelligence. On trouve aussi, à cette époque, les *Recognitiones* de Clément de Rome, identifié alors au pape du même nom[4], mais aussi les *Moralia in Iob* de Grégoire le Grand[5]. Dans le domaine monastique, on peut alors noter la présence d'une partie de la règle de saint Augustin[6], des *Conférences* de Jean Cassien[7], références inépuisables pour les moines. La *Vita Martini* de Sulpice-Sévère[8] et le *Liber Scintillarum*[9]

1. KEATS-ROHAN 2003, *op. cit.*, p. 153-154.
2. BMA, Ms. 35.
3. BMA, Ms. 87.
4. BMA, Ms. 50.
5. BMA, Ms. 98.
6. BMA, Ms. 35.
7. BMA, Ms. 95.
8. BMA, Ms. 29.
9. BMA, Ms. 108.

de Defensor de Ligugé témoignent de l'ouverture de la communauté montoise sur le monachisme implanté bien au delà de la région proche. Mais la vie intellectuelle montoise ne se nourrissait pas seulement des Pères de l'Église ; figurent aussi parmi les ouvrages présents alors dans le *scriptorium* d'importants traités oratoires de Cicéron : l'*Orator* et le *De oratore*[1]. Ils indiquent la présence, dans l'abbaye, d'une école de rhétorique qui permettait à la théologie de puiser aux meilleures sources de l'éloquence et de la pensée. Il faut noter d'ailleurs la copie de plusieurs opuscules de Boëce qui démontrent un intérêt déjà vif pour la philosophie d'Aristote[2] et une volonté de penser le monde comme un tout ! Un manuscrit cependant mérite une mention toute particulière : c'est le lectionnaire qui contient, pour les matines des fêtes de la saint Michel, le récit de la fondation du Mont-Saint-Michel (la *Revelatio*), celui du mont Gargan (la *Memoria*), ainsi que les sermons qui les accompagnaient[3]. Les moines étaient fiers de leur travail. Plusieurs parmi les copistes ont laissé leur nom à côté de certaines œuvres qu'ils ont copiées. On retrouve ainsi le moine Gauthier, le « cantor », Hilduin, Ermenalde, Osberne, Frotmond, Martin, Hervard, et encore Nicolas.

Mainard II semble avoir été très soucieux de trouver un compromis qui assurât des relations favorables avec les institutions extérieures. D'une part, il sut créer avec le duc de Bretagne les conditions nécessaires à l'agrandissement du domaine abbatial. En 996, Geoffroy fit don aux moines de toute la partie occidentale de la baie : les terres de Saint-Méloir et de Saint-Méen (Cancale), avec Port-Pican et Saint-Coulomb. Il eut soin, d'autre part, de ménager un terrain d'entente qui permît à l'abbaye de trouver sa place dans le tissu ecclésial, local et régional, en fonction de données qui évoluaient assez rapidement.

1. BMA, Ms. 238.
2. BMA, Ms. 229.
3. BMA, Ms. 211.

Le siège d'Avranches, vacant depuis longtemps[1], recouvra un titulaire vers 990. En l'absence d'autorité épiscopale directe, il est probable que l'institution montoise vécut, de fait, dans une indépendance à peu près totale, ce que lui permettait son ancienneté et son prestige. On comprend que l'évêque nouvellement nommé ait alors cherché à renouer des liens avec l'abbaye de façon à restaurer son autorité sur tout le diocèse[2]. Le récit des *Miracula*[3], du XIIe siècle, donne de la rencontre des deux prélats une version passablement édulcorée et largement merveilleuse. Selon ce texte, l'évêque Norgod, la veille d'une Saint-Michel, aurait rencontré l'abbé Mainard II pour une raison « qui est sortie de la mémoire » du narrateur. Après une journée de *colloquium*, l'évêque rentre chez lui, mais, dans la nuit, voit le Mont en feu. Pas de doute, il s'agit d'une intervention miraculeuse[4]. Il se remet aussitôt en route vers le Rocher, mais franchit les limites du domaine monastique, ce que l'abbé se sent en droit de lui reprocher. Cet épisode témoigne du rapport de force qui s'était instauré entre l'abbé et l'évêque. Les moines s'estimaient capables d'affirmer, avec la caution de saint Michel, la légitimité de leur revendication d'autonomie, sans risquer d'encourir aucune peine ecclésiastique. Un compromis fut pourtant trouvé qui établit des liens stables, sans pour autant jamais les rendre simples, entre les deux institutions. Le retentis-

1. Les listes épiscopales mentionnent un évêque, Walbert, jusque vers 860.

2. SIMONNET, Nicolas, « Saint Aubert ou comment le Mont devint normand ? », in *Bulletin des Amis du Mont-Saint-Michel*, 1997, n° 107.

3. Dom LE ROY 1878, *op. cit.*, t. 1, p. 442-444.

4. Elle rappelle un incendie similaire lors de la fondation du mont Cassin. C'est un épisode qui suit celui de la grosse pierre au cours duquel les moines voient un incendie dans la cuisine, alors que Benoît ne voit rien. L'auteur montois semble vouloir faire penser à un parallèle entre Mainard et saint Benoît, entre l'évêque, futur moine, et les compagnons du saint.

sement d'un tel règlement allait bien au delà d'une normalisation des relations avec l'église diocésaine. C'était, en effet, dans la même démarche, reconnaître aussi l'autorité du siège métropolitain de Rouen, devenu normand. En fait, l'abbé du Mont, malgré son attachement au duc de Bretagne, prenait acte de la nouvelle donne politique[1]. L'évêque Norgod tenait les moines montois en haute estime puisqu'il deviendra finalement l'un d'eux au temps de l'abbé Hildebert (1009-1024). Mainard resta abbé du Mont jusqu'à la mort de Geoffroy, son protecteur breton, en 1008. « Après la mort de Geoffroy, Richard II profita de la minorité d'Alain III pour mettre la main sur le Mont Saint-Michel, Mainard dut alors se replier sur Redon »[2] dont il était également l'abbé.

Démis par le duc de Normandie, Mainard céda sa place à un confrère probablement originaire de cette dernière province, Hildebert. Sa candidature fit consensus non seulement à l'intérieur de la communauté, mais auprès des ducs en compétition. L'influence bretonne dans la vie de l'abbaye était encore sensible, alors même que la maison normande s'affirmait. Mainard II « fut remplacé par un prélat normand, Hildebert. À partir de ce moment-là, les ducs normands considèrent le Couesnon comme la limite du duché »[3]. Le nouvel abbé incarnait le changement d'hégémonie sur le Mont. Il put accroître substantiellement le domaine de l'abbaye du côté du Maine, mais surtout de la Normandie, bien au-delà de la baie. Hildebert demeura abbé de 1009 à 1024, probablement[4]. C'est

1. DECAËNS, Henry, *Le Mont-Saint-Michel, 13 siècles d'histoire*, Éditions Ouest-France, Rennes, 2008, p. 17. Dans ce dernier ouvrage, l'auteur place plutôt ces négociations sous l'abbatiat suivant, celui d'Hildebert.

2. CHÉDEVILLE, TONNERRE 1987, *op. cit.*, p. 56.

3. *Ibid.*

4. La liste abbatiale est peu convaincante quand elle mentionne un Hildebert II. Peut-être est-ce simplement une erreur, ou la volonté de produire une analogie avec les Mainard, assurant le même prestige à la « lignée normande » des abbés à venir.

durant cet abbatiat qu'il faut situer l'épisode, fameux dans l'histoire montoise, de l'invention des reliques de saint Aubert. L'*Introductio monachorum*, après avoir fait le récit de l'arrivée des bénédictins, nous raconte comment Bernier avait caché les reliques de saint Aubert dans les combles de sa cellule. L'auteur ajoute : « Le corps de saint Aubert resta donc ignoré pendant plus de trente ans jusqu'au temps de dom Mainard, le second abbé, quand, après que le miracle divin eut lieu, il fut porté dans l'église de saint Michel en sorte qu'il y resterait de son temps et à l'avenir. »[1] Le même texte poursuit par une remarque troublante. Il indique qu'après la mort de Bernier, peu après son éviction, sous l'abbatiat de Mainard Ier donc, « les moines concédèrent tout ce qui lui avait appartenu à son neveu Foulque ; et celui-ci, qui s'était franchement attaché à eux, les combla, bientôt après, d'une immense joie en leur rapportant comment ils avaient, son oncle et lui, déplacé le corps d'Aubert[2] ». On demeure confondu par l'inaction des religieux pendant ces trente années, quand on sait l'importance de ces reliques. C'est encore le recueil des *Miracula* du début du XIIe siècle qui nous rapporte la redécouverte de la précieuse relique. Après avoir relaté avec emphase l'étendue de l'incendie de 992 qui s'attaqua « au monastère, aux églises et aux demeures mitoyennes », le rédacteur souligne que seule la maison « qui contenait le corps de saint Aubert, du fait même de ses mérites, échappa à la flamme vorace »[3]. Mais il fallut attendre l'abbatiat d'Hildebert pour que les recherches s'imposent. L'abbé, comme ses prédécesseurs, habitait toujours le logement de Bernier. « Dans ce lieu, on entendait très souvent une douce musique [...] Une nuit, pendant que tous s'adonnaient au sommeil, la maison résonna d'un énorme fracas, comme si quelqu'un s'efforçait de sortir par le toit

1. Dom LE ROY 1878, *op. cit.*, t. 1, p. 429.
2. *Cartulaire du Mont-Saint-Michel*, *op. cit.*, p. 34.
3. Dom LE ROY 1878, *op. cit.*, t. 1, p. 440.

avec une très grande violence. » On crut à des voleurs, mais le lendemain l'abbé en informa tout le monastère et c'est alors que remonta la rumeur concernant l'action de Bernier. On convoqua Foulque, le neveu, pour qu'il révèle la cache. Il fallut encore attendre trois nuits pour passer à l'action, dans un vacarme assourdissant, et retrouver enfin les ossements.[1] Ce récit contredit largement l'*Introductio* au sujet de Foulque. Pourquoi fallait-il donc ce luxe de détails miraculeux alors que l'emplacement de la cachette était connu ? Pourquoi les deux abbés précédents n'avaient-ils pas fait eux-mêmes diligence ? On comprend mieux l'importance des reliques d'Aubert après le basculement définitif du Mont dans la sphère normande. Elles auraient attendu, pour se manifester, un abbé qui, lui aussi, soit de ce monde nouveau. Il fallait légitimer le changement ; quoi de mieux que la découverte opportune des reliques pour consacrer, par leur sainteté, le caractère providentiel de la nouvelle protection ducale ? C'était donner en outre une sorte de blanc-seing au projet, sûrement envisagé dès le temps des Mainard, de construire un nouveau monastère et d'agrandir l'église.

Il fallait maintenant que le bâti de l'abbaye répondît aux exigences de la règle bénédictine devenue, depuis plusieurs générations, celle du monastère montois. Elle définit en effet le monastère comme une communauté de « moines qui militent sous la conduite d'une règle et d'un abbé »[2]. Elle envisage leur vie comme un combat, *militia*, qui amène à se remettre tout entier à Dieu « en ne préférant absolument rien au Christ »[3]. Ses soixante-treize chapitres donnent les conditions de cette existence, dans un mélange très pragmatique de préceptes, de conseils et de règlements. Ce cadre, précis mais souple, exige, sur presque tous les points, d'être traduit en fonction des

1. *Ibid.*, p. 451-454.
2. *Reg.*, chap. 1.
3. *Reg.*, chap. 72.

groupes humains qui l'adoptent, dans un environnement toujours singulier. Plusieurs fois reviennent des clausules de ce genre : « Avant tout cependant nous tenons à dire que, si quelqu'un ne goûte pas cette disposition, il en adopte une qu'il jugera meilleure[1]. » Le résultat est une grande plasticité de la vie ainsi proposée. Cela a pour conséquence que chaque communauté, à chaque moment de son histoire, doit s'approprier l'ensemble et l'adapter à ses conditions concrètes d'existence. Ainsi la règle a-t-elle une dimension stable quand elle expose des principes intangibles, mais une grande adaptabilité en refusant de figer et d'absolutiser des pratiques qui finiraient par la rendre obsolète. C'est ainsi qu'elle a traversé les siècles, dans des maisons permettant aux communautés qui en faisaient leur idéal d'exister durablement. Ainsi, si l'on veut saisir ce qui soude les pierres d'un monastère, il est nécessaire de mener une étude non seulement architecturale, ce qui a été fait au Mont avec une minutie et une compétence remarquables, mais aussi une étude fonctionnelle. Chaque lieu du monastère a sa raison d'être dans une économie qui entend incarner et manifester une réalité qui échappe à toute saisie immédiate.

Les grandes laures d'Orient s'étaient structurées autour de leur église. En témoignent éloquemment celle de Saint-Saba, bâtie au Ve siècle dans le désert de Judée et celle de Sainte-Catherine du Sinaï, au VIe. Le monastère bénédictin, lui, a deux pôles. Il est construit autour d'une église qui est sa face visible et d'un cloître, sa face cachée. Dès l'origine, les moines en Occident ont joué un rôle social. Il fallait donc laisser le peuple accéder à leur église, tout en préservant, par une architecture adaptée, le retrait du monde qui est la condition même de la vie monastique. Cela s'est traduit par l'instauration d'une clôture stricte et par l'organisation d'un espace monastique qui favorisaient une vie en autarcie. Les

1. *Reg.*, chap. 18.

moines avaient un vieux modèle, celui de la *villa* romaine : un grand domaine foncier avec, en son centre, une *domus*, elle-même structurée autour d'un *atrium*, centre et symbole de la vie familiale. Ainsi, le monastère, s'il avait une église accessible à chaque baptisé, avait aussi, tourné vers l'intérieur, un espace essentiel, réservé aux moines et structuré autour de son cloître. Le plan de Saint-Gall[1] est une synthèse idéale, mais restée théorique, de ce type d'organisation : autour d'un noyau central, constitué de l'église et du cloître, il organise des espaces selon leur plus ou moins grande proximité avec l'extérieur. Au Mont-Saint-Michel, il a fallu que les moines traduisent ce type d'habitat, dans des conditions particulièrement contraignantes. Ils ont pourtant reproduit le grand schéma occidental, mais en le particularisant en fonction de l'espace disponible et en tenant compte du fait que leur église était centre de pèlerinage.

Les travaux commencèrent précisément par elle, en 1023, avec la volonté de signifier la même sacralité que l'église qu'elle était appelée à remplacer. Il fallait cependant lui donner des dimensions qui expriment l'importance qu'elle était en train d'acquérir, grâce au développement accru du nombre des pèlerins et à l'enjeu de prestige qu'elle représentait pour ses nouveaux protecteurs. Son plan était nouveau. L'église montoise allait devenir cruciforme et chacune de ses parties prendrait sens dans cette nouvelle géométrie : désormais toutes les actions qui s'y dérouleraient manifesteraient le mystère de la croix qui, d'instrument de mort, était devenue signe de rédemption. Le chantier dura une soixantaine d'années. Commencé sous Hildebert, il fut l'œuvre de six abbés.

On commença par la construction du chœur et du transept. La surface disponible au sommet du rocher

1. Ce plan fut envoyé à Gozbert, abbé de Saint-Gall de 816 à 836, par Heito († 836), évêque de Bâle de 802 à 823, pour servir de modèle à la nouvelle abbaye que l'abbé projetait alors.

étant beaucoup trop petite par rapport à l'édifice envisagé, il fut nécessaire de créer une plate-forme artificielle, en construisant en contrebas, sur les surfaces disponibles, à l'est, au nord et au sud, des chapelles qui serviraient de cryptes, et de soutènement, à la future église. Au sud, la crypte fut couverte d'un vaste berceau de neuf mètres de portée sur lequel on peut toujours voir les traces de coffrage. Elle fut dotée à l'est d'une abside surmontée d'un cul-de-four. L'architecte de cette chapelle eut deux idées remarquables : renforcer la voûte par un arc doubleau et l'axer perpendiculairement à celle du croisillon qui la surmonterait, en sorte que les forces fussent réparties sur ses quatre murs. Cette chapelle fut dédiée à saint Martin, un des principaux initiateurs du monachisme en Gaule, exemple éloquent de charité. Elle est encore dans son état d'origine, rare exemple de stabilité. Au nord, Notre-Dame-des-Trente-Cierges lui est symétrique, mais elle en diffère par sa voûte d'arête. Elle garde des traces de fresques qui devaient recouvrir tout l'édifice, mais a subi des dommages dus aux transformations du XIIIe siècle, dans le bâtiment contigu. Le chœur, lui, fut élevé sur une crypte de plan polygonal. Les gros piliers qui se voient actuellement, à l'étage inférieur, sont, en fait, les piles romanes recouvertes d'un parement qui vint les renforcer en leur donnant une allure cohérente avec la reconstruction gothique rendue nécessaire au XVe siècle. La miniature figurant le Mont dans les *Très Riches Heures du duc de Berry* donne une idée assez précise de l'élévation du chœur roman. Ce dessin a été réalisé quelques années avant l'effondrement de cette partie de l'église en 1421. L'œuvre des frères Limbourg témoigne de beaucoup d'exactitude pour restituer les parties encore existantes de l'abbaye et du village. On peut donc s'y fier pour imaginer les parties romanes manquantes de l'église. D'autre part, les fouilles menées, vers 1960, par Yves-Marie Froidevaux, vinrent corroborer ces données et permirent de préciser le plan de cette partie de l'édifice. Le chœur était surélevé de près de trois mètres par rapport au niveau actuel et il était pourvu d'un déambulatoire, sans chapelles latérales. Sa surélévation par rapport au transept fait penser à l'aménagement du choeur de l'abbatiale de Fleury à Saint-Benoît-sur-Loire et à certaines églises abbatiales d'Italie, sensiblement de la même époque. On pense à Saint-Nicolas de Bari ou encore à San-Miniato-al-Monte à Florence. Il n'est pas impossible d'ailleurs que l'architecture italienne ait influencé la construction montoise car, en 1033, l'abbé, nouvellement élu, était originaire du Piémont. Cette première phase de travaux se poursuivit jusqu'en 1058.

Une fois élevés le chœur et le transept, vint le temps d'édifier la nef, entre 1058 et 1080 environ, sous l'abbatiat de Renouf, ou Ranulphe. Elle comportait sept travées. Sa construction nécessitait, à son tour, un important réaménagement des infrastructures existantes. Il fallait démolir l'église alors en service, et agrandir l'espace à l'ouest, de façon à avoir une surface suffisante pour un vaisseau aussi vaste. De l'église des Mainard, on garda la base du mur nord pour y élever celui du bas-côté de la nouvelle construction. Au delà de l'opportunité architecturale, la réutilisation d'un vieux mur porteur semble traduire la volonté de marquer une filiation entre la nouvelle église et celle qui la précédait. Les constructeurs indiquaient ainsi, dans la pierre, qu'ils n'entendaient pas effacer le passé, à une époque où les moines étaient amenés à réévaluer leur histoire, en fonction de la nouvelle donne politique qui se mettait en place. C'est à ce moment-là que la crypte, actuellement la plus ancienne, devint réellement Notre-Dame-sous-Terre. Elle fut couverte de voûtes et vit ses absides aménagées comme nous les connaissons. Les bâtisseurs la ceignirent, en outre, d'une série d'énormes piliers au nord ; ils la prolongèrent à l'ouest d'une travée. Ils accolèrent à l'épi central un massif de maçonnerie spectaculaire et fermèrent enfin le volume ainsi obtenu par un solide mur nord-sud. De l'espace fut encore gagné grâce à un autre mur parallèle placé plus à l'ouest. Entre les deux, on aménagea un axe de circulation intérieure et une voie d'accès à l'église. Au sud, les contraintes amenèrent à renforcer le mur de Notre-Dame-sous-Terre sur toute sa longueur et à élever un autre massif de maçonnerie. Un escalier qui donnerait accès à l'église fut inséré dans l'intervalle. Le mur de la façade d'alors existe toujours. Il éclaire l'escalier par d'étroites meurtrières, mais se trouve lui-même pris dans des constructions ultérieures. Au niveau supérieur, on éleva une nef de sept travées avec trois étages d'ouvertures. La lumière, malgré l'étage médian qui ouvrait sur des combles, y était abondante grâce à de larges fenêtres hautes. Cette nef est flanquée de collatéraux voûtés d'arêtes. Celui du sud est le seul qui soit contemporain de la construction originelle. Il surprend par son caractère assez fruste. Des contreforts massifs en renforcent les murs. La technique très performante utilisée pour le transept et le chœur semble avoir été oubliée. Tout se passe comme si les constructeurs n'étaient plus les mêmes. La nef ne fut pas voûtée mais reçut une charpente et un lambris. Cette disposition évitait de peser excessivement sur les étages inférieurs. Le décor minéral que nous avons sous les yeux devait être rehaussé par la couleur des fresques et la lumière des vitraux. La nef enfin fut fermée, à l'ouest, par un porche monumental dont on a retrouvé des vestiges sous le dallage de la terrasse occidentale. Il était situé à un mètre cinquante au-dessous du niveau de la nef et formait un narthex ouvert sur trois de ses côtés. Il avait encore trois ouvertures en façade. Celle du centre était large de cinq mètres. Un escalier monumental devait en permettre l'accès.

S'il est vrai qu'une société se projette dans les bâtiments qu'elle élève, la nouvelle église abbatiale, dont le chantier s'acheva vers 1080, est un témoin significatif des convictions du XIe siècle. Après le tournant de l'an 1000, les grandes crises qui avaient secoué le Xe siècle trouvèrent un épilogue provisoire et rassurant dans la mise en place du monde féodal. Pour pallier l'éloignement du pouvoir central, la société se structurait en communautés de proximité. Elles avaient, pour valeur fondamentale, l'échange de service et de protection, tant sur le plan temporel que spirituel. Un lieu de pèlerinage, comme le Mont, en était partie prenante, à titre éminent. La communauté monastique était en quelque sorte une cellule vicaire de cette société. Son rôle était de prier et d'intercéder pour tous ceux qui se confiaient à elle. Elle constituait un vecteur privilégié de l'accès à Dieu, et donc au ciel, par l'intermédiaire insigne de l'archange Michel. Elle se devait d'incarner ce rôle, non seulement dans le secret des cœurs, mais dans un cadre approprié où chacun pourrait faire l'expérience des prémices de ce qu'il était venu chercher. À ce titre, le monastère avait un devoir de visibilité. En échange, il recevait, sous forme de dons, ce qui lui était nécessaire pour vivre. Ses bâtiments témoignaient de son adéquation à la mission dont il était chargé, et où s'incarnaient les valeurs fondamentales qui réglaient les rapports sociaux, en particulier la participation de chacun à un ordre qui reposait sur la parole donnée. L'homme du Moyen Âge se vivait fondamentalement comme la partie d'un tout sans lequel il ne pouvait subsister ; l'église représentait la sacramentalité du monde ressenti comme ordonné selon la volonté de Dieu. Elle était l'image d'un au-delà où l'ici-bas était appelé à se transcender dans une perfection qui ne serait définitivement atteinte qu'à la parousie.

L'église abbatiale au Mont s'ouvrait précisément comme le terme d'une route plus ou moins longue, plus ou moins dangereuse, plus ou moins ténébreuse. Pour venir, le pèlerin avait dû quitter sa vie, son groupe d'origine, et assumer, avec son costume d'errant, un statut particulier enviable, certes, puisqu'il y allait du salut, mais aussi suspect puisqu'il mettait en marge[1].

1. Tant et si bien d'ailleurs que dans le *Dictionnaire de* FURETIÈRE, 1690, l'article Miquelot assimile encore le pèlerin du Mont à un délinquant : « Petit garçon qui va en pèlerinage à Saint Michel sur la mer et qui se sert de ce prétexte pour gueuser. On le dit par extension de ceux qui affectent une mine hypocrite et nécessiteuse. Cet homme croit faire pitié en faisant le *miquelot*. »

Pour gagner le haut lieu, il lui avait fallu affronter les dangers réels du chemin mais aussi, les plus terribles, ceux qui naissaient dans la fantasmagorie de récits miraculeux. Arrivé au terme de sa route, le pèlerin de saint Michel devait encore parcourir un espace où il referait, à sa manière, l'expérience des Hébreux quittant l'Égypte. Il devait affronter la mort, sous la forme du « péril de la mer ». Il allait ainsi vers un rocher au fond d'une baie, mais aussi vers une terre renouvelée à laquelle il aspirait de façon ultime : la Jérusalem céleste dont le Mont était l'image. Après la traversée, son pèlerinage devenait alors ascension, avec toutes les connotations scripturaires liées à ce terme. Il montait vers le ciel dont il découvrirait un avant-goût là-haut ; ce faisant, il s'approchait de l'éternité. Là s'ouvrait un monde qui récapitulait tout son parcours.

Dans l'architecture des églises médiévales, le porche figurait le Christ selon la parole de Jésus en saint Jean : « Je suis la porte ; si quelqu'un entre par moi, il sera sauvé » (Jn 10, 9 et 11). Passer la porte, c'était symboliquement entrer dans un au-delà qui laissait pressentir le moment décisif où se jouait le salut, le jugement dernier. Il appelait le pèlerin à faire acte de repentir et à se souvenir de son baptême en se signant avec l'eau qui lui était offerte près de l'entrée, légèrement en dedans. L'eau signifiait la fin du passage, l'entrée d'un monde à déchiffrer, une sacralité à investir. Du parvis, son regard se portait inévitablement vers le haut. Entre le porche et le maître-autel, le dénivelé était, rappelons-le, de cinq mètres environ et le cul-de-four au-dessus de l'abside, qui figurait le ciel, s'élevait encore bien au-dessus. Ce vers quoi tendait toute l'énergie qu'il avait mise à faire la route était offert à sa contemplation. Plus avant, s'ouvrait à lui un espace savamment ordonné qui avait le pouvoir de refléter le sens ultime de l'existence. À hauteur d'homme, il était inscrit dans des figures quadrangulaires : les travées de la nef et les croisillons du transept étaient des espaces segmentés ; ils figuraient le monde achevé, l'ici-bas. Les absides qui abritaient un autel, ainsi que les voûtes, introduisaient le cercle qui, n'ayant ni commencement, ni fin, signifiait la proximité du divin. La hauteur de l'édifice soulignait la distance infinie de l'homme à Dieu et indiquait, par le volume qu'elle délimite, un espace immense de gratuité. Il ne serait jamais rempli autrement que par les volutes de l'encens, image à peine perceptible de la prière qui s'élève sans cesse vers le ciel, selon l'antique formule liturgique du psaume 141 (140), 2 : « Que ma prière devant toi s'élève comme un encens et mes mains pour l'offrande du soir. »

Dans la nef, le pèlerin était chez lui. Les sept travées lui indiquaient que, baptisé, il se trouvait dans la maison par excellence, la maison-Dieu, selon la valeur symbolique du septénaire. La répartition ternaire des ouvertures, elle, lui rappelait que sa foi professe un Dieu trinitaire. À la croisée du transept, il pouvait remarquer quatre piliers dont la fonction était, bien sûr, de soutenir la tour qui la domine, mais encore de signifier que cet édifice n'a de sens que parce qu'il repose sur la même foi que celle des apôtres en charge de la jeune église de Jérusalem, que Paul désigne dans sa lettre aux Galates comme « les colonnes de l'Église » (2, 9), foi exposée, plus tard, dans le récit des quatre évangélistes. Plus avant, le chœur, délimité par dix piliers et fermé par les deux colonnes qui en marquaient l'entrée et constituaient les portes royales, indiquait que l'eucharistie, et plus largement toute la fonction monastique, était célébrée dans le chœur des douze apôtres ; par le truchement de l'office monastique, le pèlerin assistait, comme en écho, à la liturgie du ciel, la seule véritable. Ainsi, dans son parcours à l'intérieur du bâtiment, il pouvait reconnaître les articles fondamentaux du *credo* qu'il chantait chaque dimanche.

Saint Michel lui-même veillait sur le maître-autel où étaient présentés les témoignages le concernant. Il était le signe que le drame, mis en scène dans la liturgie, n'était rien moins que le combat grandiose de la fin des temps, spirituellement mené ici-bas, selon la vision prophétique qu'expose l'Apocalypse comme déjà accomplie, mais redite à chaque fête de l'Archange comme encore à venir : « Il y eut alors un combat dans le ciel : Michel et ses anges combattirent contre le dragon » (Ap 12, 7). Dans cette perspective, le triomphe de la gloire de Dieu était encore manifesté par un grand candélabre circulaire, accroché au-dessus du chœur, et capable de supporter jusqu'à trente cierges. Il signifiait la Jérusalem céleste « qui descendait du ciel d'auprès de Dieu », selon Ap 21, 10. Dans ce cadre grandiose, le pèlerin du XIe siècle faisait l'expérience non seulement d'un espace signifiant, mais il devenait encore partie prenante d'une temporalité spécifique, dont il ne connaissait que l'ébauche dans sa paroisse. Ici, la liturgie réglait et mesurait l'existence tout entière selon son rythme quotidien aussi bien que calendaire.

Avec l'essor de Cluny, et en dépit de réticences parfois vives que son hégémonie suscita parmi les moines montois, la célébration de l'office choral était devenue leur tâche essentielle. Elle les occupait jour et nuit. Bien qu'il soit difficile de préciser les horaires exacts de chaque heure, les moines se retrouvaient sept fois par jour – appliquant ainsi à la lettre, le psaume 119, vv. 148 et 164 : « Je devance l'aurore et j'implore. [...] Sept fois, chaque jour je te loue » – à quoi il fallait ajouter deux messes quotidiennes, ainsi que les processions de dévotion, spécifiques à la pratique montoise.

La liturgie débutait la nuit, à la huitième veille, *vigilia*, pour nous, vers deux ou trois heures. C'étaient les matines, ou encore vigiles. Elles consistaient en une longue méditation répartie en deux ou trois ensembles, appelés « nocturnes ». Chacun comportait six psaumes avec antienne, suivis d'une ou deux lectures extraites des Pères de l'Église ; chacune d'elles était accompagnée d'une pièce chantée, le « répons ». Pendant le dernier nocturne, on lisait l'Évangile de la messe du jour, ainsi qu'un sermon qui le commentait. Ces matines duraient au moins deux de nos heures. À l'aurore, on chantait les laudes : cinq psaumes avec leur antienne et le *Benedictus*. Suivaient à la première, la troisième, la sixième et la neuvième heure du jour les petites heures qui ne comportaient que trois psaumes. C'était prime (vers 6 heures), tierce (vers 9 heures), sexte (à midi), none (vers 14 heures). Dans la matinée, on avait encore chanté la messe matutinale après prime et la grand-messe après tierce. Enfin, la journée se concluait par les vêpres, au crépuscule, avec leurs cinq psaumes, leur antienne et le *Magnificat* et, avant la fin du jour, venaient les complies avec leurs trois psaumes.

La journée était d'autant mieux remplie que la liturgie montoise était très solennelle. Selon leur importance, les fêtes étaient dites à trente, sept, cinq ou trois cierges, en fonction du nombre de luminaires allumés sur le grand chandelier qui se trouvait *super chorum*. Les moines étaient alors revêtus de la chape, de l'aube, ou simplement de leur coule. D'autres particularités existaient comme la mémoire des saints anges le lundi et le mercredi, celle de la Vierge le samedi. Quotidiennement encore, toute la communauté se rendait en procession à certains autels de l'église pour y faire station avec psaume et encensement. Des prières pour les défunts qui se recommandaient aux moines, en particulier sous forme de fondations, étaient encore une obligation qui engageait gravement le monastère. En octroyant à l'abbaye des droits sur des terres, des moulins, ou encore des dîmes, pour les plus puissants, en faisant une simple offrande, pour les plus modestes, chacun, en retour, pouvait ainsi s'assurer de secours spirituels. On peut rappeler le cas assez typique du puissant Tréhan qui, avant 1075, fit don à l'abbaye de ses droits sur l'église à Saint-Broladre, à quoi il ajouta une terre d'environ cinq hectares, une dîme sur son verger et son moulin, pour participer aux avantages spirituels des moines, tant il croyait sa fin proche. Il reçut même l'habit monastique.

Une fois sa guérison obtenue, plus question pour lui d'observer la règle, mais, pour ne pas démériter, il accrut encore ses donations et obtint que, lorsqu'il irait se réfugier au Mont avec sa famille, en cas de besoin, il recevrait, durant tout son séjour, la portion de nourriture que l'on accordait aux moines. Le martyrologe et les obituaires rappelaient quotidiennement aux religieux les engagements qu'ils avaient pris et qui les obligeaient. De plus, ils devaient prendre soin des pèlerins afin que ceux-ci accomplissent leurs dévotions personnelles.

La liturgie remplissait la journée, mais elle rythmait encore toute l'année. Les grandes solennités sont connues : Noël, Épiphanie, Annonciation, Pâques, Ascension, Pentecôte, Assomption et Toussaint ; à quoi il fallait ajouter Saint-Benoît et, plus spécifiquement, les trois fêtes de la Saint-Michel les 8 mai, 29 septembre et 16 octobre, dédicace du Mont, et le 18 juin, Saint-Aubert. Certaines fêtes étaient l'occasion de jouer des drames liturgiques auxquels prenaient part les novices et les enfants élevés dans le monastère, en tant qu'oblats, ainsi que les clercs étudiants. Le jour des Saints-Innocents, le 28 décembre, par exemple, c'étaient les novices qui officiaient après avoir élu un abbé parmi eux ; ce jour-là, toute la hiérarchie de l'abbaye était bouleversée, un peu à la manière de la fête des fous dans la société civile. À l'Épiphanie, le 8 janvier, celui qui avait tiré la fève se voyait attribuer au chœur un siège spécialement décoré. À Pâques, encore, on jouait le drame de la Passion. Certaines occasions conduisaient l'ensemble des moines hors du monastère. Chaque année, au printemps, les rogations les voyaient à Huisnes, dans l'ancien Itius, à Ardevon et à Tombelaine pour que fussent bénies les terres, en vue d'obtenir des récoltes abondantes. Ces rituels étaient particulièrement importants dans une société essentiellement rurale où la disette était une menace constante. À l'inverse, le dimanche des Rameaux, une procession montait du village avec les pèlerins et les habitants ; le vendredi précédant la Pentecôte, l'évêque d'Avranches et son clergé étaient, à leur tour, reçus solennellement à la porte de l'abbaye ; les moines leur rendaient la politesse dix jours après en se rendant eux-mêmes dans la cité épiscopale. Parmi les hauts personnages, le roi de France et le duc de Normandie étaient reçus à la porte de la ville, les autres à la porte de l'abbaye, selon un cérémonial très codifié, visant à honorer l'hôte tout en soulignant le rang éminent des moines.

En comparant les missels à l'usage de l'abbaye avec les grandes traditions gallicanes, on s'aperçoit que la liturgie qui prit place dans l'église nouvelle avait hérité d'un fonds original, même si nous n'en connaissons plus que certaines particularités, les documents étant presque toujours lacunaires. Elle subit une réforme profonde sous l'influence de ce qui se passait à l'abbaye de Fécamp, dirigée alors par Guillaume Volpiano, moine d'origine italienne, clunisien convaincu et chargé par le duc de rénover les grands établissements normands. La mission de Guillaume consistait, en fait, à tenter d'instaurer partout la même discipline, afin de gommer les particularismes et d'unifier la vie monastique. Il s'agissait en dernier ressort de mettre autant d'abbayes que possible dans l'orbite de Cluny. Il devait ainsi permettre au duc d'exercer une influence plus directe sur toutes les maisons du duché en imposant, lors des élections abbatiales, des candidats choisis dans l'une ou l'autre de ces communautés qui auraient la même culture monastique, et donc moins de raisons de refuser un moine du dehors. Si la porte du Mont resta obstinément close à Guillaume, son influence s'exerça néanmoins durablement dans le domaine crucial de la liturgie, par l'intermédiaire de son neveu Suppo. La liturgie montoise sut cependant garder des caractéristiques propres, en particulier dans le sanctoral[1]. On y note une assez grande fréquence de saints moines bretons. Les saints normands y furent, en revanche, peu nombreux et apparurent plus tard.

1. L'ensemble des saints dont on célébrait la fête, tout au long de l'année.

Pour pouvoir s'exercer dans de bonnes conditions, une activité quotidienne aussi importante et aussi prenante supposait une infrastructure qui façonnât toute l'organisation de la communauté. Les moines qui en avaient la charge exerçaient un rôle prééminent dans le monastère. Au premier rang de ces officiers, le chantre avait un rôle capital. Il devait organiser, régler le chant du chœur et veiller au bon déroulement des offices. Ce n'était pas une mince affaire étant donné le nombre des intervenants, la complexité des rubriques et du chant lui-même. C'est lui qui attribuait sa place à chaque moine. Ce faisant, le chantre devait exercer, surtout dans un monde aussi fermé, avec des moines issus pour la plupart de familles aristocratiques plus ou moins titrées, une véritable action diplomatique. Normalement les choses étaient simples, puisque le rang au chœur était celui de la profession, mais, dans la réalité, des susceptibilités liées à des privilèges mondains pouvaient compliquer singulièrement les dispositions à prendre. Le chantre avait encore à charge l'apprentissage du chant par les novices et les enfants confiés au monastère. De plus, comme la liturgie nécessitait des livres pour que les choristes, mais aussi les célébrants, puissent remplir leur office, le chantre avait encore un rôle déterminant dans l'activité du scriptorium. Il fallait, en effet, missels, évangéliaires, graduels, lectionnaires, antiphonaires, psautiers, ce qui représentait un travail énorme de copie, même si chaque volume durait longtemps et servait à plusieurs moines. Beaucoup de textes étaient, il est vrai, parfaitement mémorisés. On sait que le moine Gauthier exerça cette fonction de *cantor* et qu'il prit part au travail des copistes.

Après le chantre venait le trésorier. Un des titulaires de cette époque fut Drogon[1]. Il avait la haute main sur

1. Dom LE ROY 1878, *op. cit.*, t. 1, p. 118 : « Drogon, sacristain de l'église de ce Mont, reçoit un soufflet d'une main invisible, manquant de révérence en icelle église, l'an 1045. » Saint Michel avait la main leste !

tout le matériel nécessaire à l'action liturgique : les vases sacrés, les ornements, le mobilier. C'est lui qui, en particulier, gérait le dépôt des reliques. On sait combien leur culte était essentiel. Elles étaient des vecteurs puissants du sacré et suppléaient à la faiblesse des moyens dans des situations souvent incontrôlables, tant en ce qui concernait la santé des individus que la préservation de groupes sociaux en temps d'épidémies, de famines, de catastrophes naturelles ou de guerres. Aussi le prestige du trésorier était-il grand. Sa tâche était décisive pour la renommée du monastère. À ce titre, il lui incombait de traiter avec différents négociants sur des métaux précieux, des pierres, des étoffes qu'il achetait en quantité importante ; cela pouvait aller, pour ces dernières, de la serge de laine, qu'on trouvait dans les régions limitrophes pour les tuniques et les coules des moines, au drap pour les aubes ou encore à la soie, au velours et au damas, qu'on importait de très loin pour les chasubles, les étoles et les chapes. Il commerçait aussi avec des orfèvres, des fournisseurs de luminaires, d'épices pour l'encens et pour l'huile, qui était dans nos régions une denrée très rare[1]. Il avait encore affaire avec des sculpteurs, des vitriers, parfois des fondeurs de cloches, et avec tous ceux qui étaient indispensables à l'entretien du bâtiment. Il lui fallait encore veiller à l'approvisionnement en vin. Très tôt, d'ailleurs, les moines plantèrent des vignes à Genêts, avant d'en acquérir de meilleures, dès le Xe siècle, en Anjou, en particulier. La qualité du vin local était telle que les moines obtinrent finalement qu'on ne leur en servît plus !

Un autre poste important était lié à l'église : l'aumônerie. Celui qui en avait la charge accueillait les pèlerins et leur permettait de monter à l'église pour prier. En recevant leurs offrandes, et en leur signifiant ce que les

1. À ce propos, au Mont au moins, il n'a jamais été question de se défendre en versant de l'huile bouillante sur des agresseurs éventuels. C'était une denrée beaucoup trop onéreuse.

moines, en échange, assureraient comme intercession, il exerçait, au nom de tous, la charité et l'hospitalité. Les hôtes étaient reçus à l'aumônerie ou, s'ils pouvaient payer, à l'hôtellerie. On offrait le gîte et le couvert à tous, mais en priorité à ceux qui venaient de loin. Aux pauvres, on distribuait ce que leur réservait la cuisine du monastère.

Les budgets consacrés à la liturgie étaient importants, au point que les revenus de certains domaines furent attribués à ces trois offices, de façon durable, en accord avec l'abbé et le convent[1]. L'église concentrait une grande part des ressources et ce qui s'y déroulait journellement constituait l'activité essentielle du monastère. Elle en était même la justification puisque c'est là que s'accomplissait la synthèse où se trouvait signifiée la relation du monde d'alors avec ce qui lui donnait sens.

Pendant la construction de cette église, au XIe siècle, il fallait bien que les moines vivent et puissent se livrer à leurs autres activités. On a signalé des manuscrits de cette époque ; il fallait donc un lieu pour les écrire, les décorer, les relier et, surtout, les lire. Il n'est pas inutile d'insister ici sur ce qu'était le travail des copistes : une tâche de première importance pour les moines, et au delà un apport majeur au monde de la pensée et de l'érudition. Nous sommes ici bien loin du cliché de moines ignorants se contentant de recopier servilement les textes existants. Leur tâche était, en réalité, ordonnée à l'étude quotidienne d'œuvres propres à nourrir leur spiritualité. Les monastères, et le Mont de façon tout à fait remarquable, furent alors des foyers très actifs de la culture et de la vie intellectuelle en Occident.

S'il est encore pratiquement impossible de situer le monastère du Xe siècle, on éleva, au XIe siècle, le long du bas-côté septentrional de la nef, un bâtiment de trois éta-

1. Le convent est l'assemblée des moines réunie en chapitre sous l'autorité de l'abbé. C'est cette assemblée qui, en dernier ressort, est souveraine pour ce qui concerne les affaires de l'abbaye.

ges. Au niveau de l'église, et en communication avec elle, comme dans beaucoup d'abbayes d'alors se trouvait le dortoir. Sa place était déterminée tant par la nécessité d'un lieu à proximité du sanctuaire pour l'office de nuit que par la volonté de signifier que même le sommeil du moine était prière. Les psaumes chantés à complies répétaient à l'envi : « En paix, je me couche, aussitôt je m'endors : toi seul, Seigneur, tu m'établis en sûreté » (Ps 4, 9). À l'étage intermédiaire se trouvait une pièce actuellement voûtée d'ogives. Depuis le XVIIe siècle, elle est connue comme le « promenoir ». Sa forme allongée et la présence d'une autre pièce qui s'ouvre directement sur elle font penser qu'il pouvait s'agir d'un ensemble réfectoire-cuisine. À l'étage inférieur, la crypte de l'Aquilon, qui n'avait pas encore ses voûtes, ne communiquait pas avec la pièce au-dessus. Hors clôture, elle était destinée à recevoir les pèlerins. Seule une petite ouverture en hauteur permettait aux moines de surveiller ce qui s'y passait grâce à un couloir ménagé dans l'épaisseur des murs de cette partie de l'abbaye pour assurer une circulation discrète entre les différents étages. Cette pièce, située à proximité de l'entrée et au pied du portique qui menait à l'église, servait d'aumônerie. Sur les autres parties du monastère nous sommes encore moins renseignés. Il serait cependant étonnant qu'il ait fallu attendre le XIIIe siècle pour voir un monastère bénédictin aussi prestigieux se doter d'un cloître, structure qui fait l'originalité de ce type de maison. La porte qui s'ouvrait entre le déambulatoire nord de l'église et ce qu'on appelle aujourd'hui la « cour du cloître », devait donner accès à un étage du monastère roman depuis lors disparu.

Pour comprendre ce qui sous-tendit une telle entreprise de construction et permit sa poursuite sur plusieurs générations, il faut avoir en tête l'étendue du rôle de l'abbé dans le monastère. Il était la pierre angulaire de tout le dispositif. Aux yeux des moines, l'abbé incarnait le principe d'une permanence qui donnait confiance en l'avenir. Sans lui, une œuvre d'une telle ampleur et d'une telle audace n'aurait pu être menée à son terme.

« On le regarde comme tenant la place du Christ. »[1] Chaque membre de la communauté, le jour de sa profession monastique, mettait ses mains dans les siennes et lui promettait ainsi une obéissance absolue. Ce faisant, il le reconnaissait comme son père. L'abbé, en échange, lui assurait « la charité et la communion fraternelle », c'est-à-dire la subsistance en ce monde et l'assurance de la vie éternelle dans l'autre. De cet engagement réciproque, l'abbé était le garant ; il en incarnait la permanence jusqu'à sa mort. Responsable de tout, il devait pourtant, avant de prendre une décision qui engageait l'avenir, convoquer en chapitre l'assemblée souveraine des moines : le convent, et la présider : « Toutes les fois qu'il y aura dans le monastère une affaire importante à décider, l'abbé convoquera toute la communauté et prendra l'avis de chacun, en se souvenant que souvent Dieu révèle à un plus jeune ce qui est meilleur. »[2] On comprend dès lors que le choix de celui qui exerçait une charge aussi décisive était un moment clé pour l'ensemble des moines. À sa mort[3], la règle prévoyait que tous les moines tinssent chapitre, à l'initiative et sous la présidence du prieur, second dans la hiérarchie du monastère, avec l'accord du conseil des anciens, pour procéder à l'élection d'un nouveau supérieur. Théoriquement, n'importe quel profès de la maison, ou encore d'un autre monastère, pouvait être élu « d'un commun accord »[4], c'est-à-dire par consensus de l'ensemble des capitulants. Au cas où des désaccords se révéleraient irrémédiables, où il y aurait de graves désordres dans la discipline interne du monastère, la règle donnait une très grande faculté aux gens du voisinage afin que soit nommé quelqu'un qui fût digne de la fonction : « Si, par malheur, il arrivait que la communauté tout entière, d'un commun accord, eût élu

1. *Reg.*, chap. 2, 5.
2. *Reg.*, chap. 3, 1 et 5.
3. Ou lors de son éventuelle démission.
4. *Reg.*, chap. 64.

une personne complice de ses dérèglements, lorsque ces désordres parviendront à la connaissance de l'évêque, au diocèse duquel appartient le monastère, ou des abbés ou des chrétiens du voisinage, ils pourvoiront eux-mêmes d'un digne chef la maison de Dieu, [...] ils commettraient un péché s'ils négligeaient d'intervenir. »[1] En un temps où les seigneurs n'hésitaient pas à imposer leurs candidats aux principaux offices ecclésiastiques, cette disposition facilitait grandement leur intervention pressante, voire abusive. Quand Hildebert s'éteignit, en 1024, les ducs normands ne se privèrent pas de faire intrusion dans les affaires montoises. Sa succession inaugura une longue période de tensions et de conflits qui mirent aux prises la communauté soucieuse de son indépendance, et les ducs qui veillaient à la garder aussi soumise que possible à leur autorité.

Le duc Richard II tenta alors d'imposer son réformateur à Fécamp, Guillaume de Volpiano. Il ouvrit un contentieux de cent trente années entre sa maison et le monastère montois. Les moines, qui voulaient garder la maîtrise de leur choix, refusèrent absolument la candidature fécampoise. Devant cette fin de non-recevoir, le duc proposa le neveu de Guillaume, Suppo, alors abbé de la Fruttuaria, dans le Piémont. Les Montois finirent par accepter le compromis, mais le nouvel élu préféra attendre que la situation s'apaisât pour prendre effectivement possession de la charge abbatiale. Un nouvel accord dut être trouvé. Un consensus se fit sur le nom de Thierry, pourtant moine de Fécamp et disciple de Guillaume, mais probablement moins lié à ce dernier que le neveu. C'était pour peu de temps, car Richard II mourut en 1026 et Thierry se retira à Bernay. Les moines montois profitèrent du très cours règne de Richard III, qui mourut en 1027, pour élire un des leurs, Aumode, apparenté à la maison régnante du Mans, laquelle avait déjà fourni un évêque, puis un abbé à Saint-Sauveur de

1. *Reg.*, *ibid.*

Redon. On sent derrière cette élection une dernière tentative de restaurer des liens qui se distendaient inéluctablement avec le duc de Bretagne, Alain III. Sa rivalité avec Robert le Magnifique, son cousin, allait les amener au Mont en 1030, et ce fut un abbé, plutôt en sympathie avec le Breton qui devait être témoin de la soumission de ce dernier au Normand. Si Aumode se vit encore restituer deux villages bretons usurpés et octroyer des droits nouveaux sur Cancale et Port-Pican, Robert le Magnifique avait mis définitivement la main sur l'abbaye. Pour le signifier avec force, il déplaça l'abbé à Cerisy-la-Forêt, en 1032, et ordonna aux moines montois d'élire à nouveau Suppo. C'était chose faite en 1033.

Le nouvel abbé arrivait dans une maison en chantier. On bâtissait encore le chœur de l'église, ce qui ne devait pas faciliter la vie quotidienne. Les péripéties de son élection n'étaient guère de nature à apaiser les tensions internes. Malgré tout, Suppo semble avoir rapidement su convaincre par ses dons d'administrateur. Il eut l'habileté de ne pas arriver les mains vides, mais d'enrichir le monastère d'objets précieux et de reliques qu'il s'était procurés à Rome. Son rayonnement attira dans le voisinage immédiat du Mont des intellectuels italiens de grande envergure, comme Lanfranc et son disciple Anselme. Ils illustrèrent l'un et l'autre, grandement, l'école de théologie d'Avranches, de 1039 à 1042, avant de gagner l'abbaye du Bec puis le siège de Cantorbéry. Suppo vit disparaître Robert le Magnifique, son protecteur, en 1035, soit deux ans après son arrivée. Il s'en trouva affaibli, d'autant que la minorité de Guillaume le Bâtard fut l'occasion de graves désordres dans le duché ; des familles puissantes s'affrontèrent. Au Mont, les tensions s'exacerbèrent entre les partisans de l'abbé réformateur et ceux qui s'étaient sentis contraints de l'élire.

Au bout de quinze ans d'un gouvernement pourtant marquant, Suppo se trouva en butte à la fronde d'une partie de sa communauté. La vente, sans l'aval du convent, à un certain Raoul, du moulin du Comte, à Vains, mit le feu aux poudres. La dissension devint telle que Suppo choisit de quitter le Mont en 1048 et de retourner dans son abbaye italienne. Il garda cependant le titre d'abbé du Mont jusqu'à sa mort en 1061.

Dès son départ, les moines durent à nouveau « élire » le candidat du duc : un autre moine de Fécamp : Raoul de Beaumont, fils de famille et administrateur de l'abbaye de Bernay. Il arrivait au Mont avec une réputation entachée de népotisme. À Bernay, en effet, sa famille semble avoir été gourmande. Le choix d'un tel candidat ne fut pas de nature à détendre l'atmosphère montoise. Raoul continua néanmoins le chantier de l'église, énorme entreprise qui intéressait non seulement la communauté, mais aussi la maison ducale. Il mit en chantier l'élévation du transept, pour laquelle il semble avoir disposé d'une équipe de grand talent. Le transept de l'église fut une œuvre majeure dans la Normandie d'alors. On peut encore admirer dans le croisillon sud la pureté des lignes, la majesté de l'élévation soulignée par l'élégance des demi-colonnes engagées et par l'équilibre qui résulte des ouvertures savamment proportionnées. Au bout de deux ans, cependant, faute de pouvoir venir à bout de l'hostilité dont il était l'objet, Raoul partit en pèlerinage à Jérusalem. Il mourut lors de son retour, soit à Chypre, soit au Mont lui-même, en 1053.

L'abbaye souffrit alors une période anarchique de deux ans, jusqu'à ce que, de guerre lasse, les moines obtiennent la faculté d'élire un abbé de leur choix. Ce fut l'un des leurs : Renouf, ou Ranulphe, vers 1055. Il gouverna l'abbaye jusqu'en 1085, soit pendant une trentaine d'années. Il eut donc le temps d'entreprendre des travaux conséquents. Il ouvrit et mena à bien le chantier de la nef de l'église ; ainsi, il acheva l'œuvre commencée par Hildebert. Il fit encore élever au nord du monastère des murailles qui en assureraient la protection. Au sud, il fit faire des aménagements près du cimetière qui avait été placé dans l'espace, alors libre, mais occupé maintenant par l'entrée de l'abbaye, le palais abbatial et le Grand Degré. Il fit élever, sous le bas-côté sud de l'église, en contrebas, un bâtiment à trois nefs élevées, perpendiculaires à l'axe de l'église[1]. C'était certainement une chapelle cémétariale. Elle permettait d'honorer dignement les frères disparus et de prier pour les défunts. Enterrer les morts « en terre chrétienne » était une préoccupation générale. Dans les monastères, il était essentiel que le moine entré dans l'éternité fût mis dans un lieu où il puisse rester présent à la mémoire de ses frères, comme celui qui les avait simplement devancés dans le Royaume auquel tous aspiraient. Il y avait là de petites terrasses, comme il en subsiste encore au-dessous du palais abbatial ou comme celles qui constituent aujourd'hui le cimetière du village. Les travaux dans le Grand Degré ont assez souvent mis au jour des ossements qui attestent, à cet emplacement, la présence de sépultures anciennes. Des cadavres ont encore été trouvés là, au cours de travaux de sécurité-incendie réalisés dans les années 1990.

L'élection de Renouf avait dénoué une crise, mais le prix en fut élevé. Le rapport des forces au sein de la communauté se trouvait, en effet, inversé : les tenants du particularisme montois triomphaient du clan réformateur qui avait approuvé l'œuvre de Suppo. Parmi les protagonistes de ce dernier courant figuraient certains des esprits les plus brillants du monastère : Robert et Anastase sont ceux dont les noms nous sont encore connus. Robert était tout jeune moine, au début de l'abbatiat de Suppo. Quelques années plus tard, vers 1040, il devint un maître et se vit confier un jeune moine de Saint-Wandrille, venu étudier au Mont. C'était Anfroi, qui deviendrait rapidement abbé de Préaux et se révélerait

1. DÉCENEUX, Marc, *Le Mont-Saint-Michel pierre à pierre*, Éditions Ouest-France, Rennes, 1996, p. 28-29. L'auteur estime que ce bâtiment a été construit au Xe siècle.

« un des meilleurs théologiens de l'époque »[1]. C'est dire sa précocité, facilitée probablement par des contacts avec l'école d'Avranches que l'abbé avait contribué à organiser. Selon Orderic Vital, Robert écrivit plusieurs œuvres érudites. Il se trouvait en communion de pensée avec un autre jeune moine, Anastase, venu spécialement de Venise pour embrasser la vie monastique au Mont. D'après Gauthier de Cluny, « après avoir quitté ses parents, sa maison et sa famille, alors qu'il cherchait un lieu qui lui convienne pour prendre l'habit monastique, il gagna la mer de Bretagne au lieu qu'on appelle Port-Hercule, autrement dit le mont Saint Michel au péril de la mer ; c'est là, dans une grande communauté de moines qui vivaient tous chichement, sauf l'abbé, qu'il prit l'habit comme il le souhaitait »[2]. La réputation du monastère montois était grande alors, et « il n'est pas surprenant de voir venir à l'abbaye au début du XIe siècle, Robert de Tombelaine, éminent dialecticien, avec son ami, Anastase le Vénitien, grand connaisseur en grec et en latin »[3]. Leur présence au Mont suscita l'admiration de saint Anselme, ce dont témoigne encore une lettre.

Ces moines d'envergure choisirent finalement d'échapper à l'ambiance délétère qui régnait dans la communauté. Il se réfugièrent alors à Tombelaine. L'îlot avait été jusque-là un ermitage où les moines pouvaient, avec l'aval de leur abbé, mener une vie plus retirée. À côté de cellules, on avait édifié une petite église dédiée à Notre-Dame. Les installations étaient sommaires, mais permanentes. Elles permettaient aux pèlerins, en cas de nécessité, d'y trouver un refuge sûr. C'est Anastase qui y entraîna Robert avec cinq ou six compagnons. Ils restèrent

1. QUIVY, Paul, THIRON, Joseph, *Robert de Tombelaine et son commentaire sur le Cantique des cantiques*, *Millénaire…*, *op. cit.*, t. 2, p. 350.

2. GAUTHIER DE CLUNY, *Vita gloriosi Anastasii*, Migne, 1852, pl. 149, col. 427.

3. VIOLA, Coloman, *Aristote au Mont-Saint-Michel*, in *Millénaire…*, *op. cit.*, t. 2, p. 293.

là une dizaine d'années. C'est encore lui qui fut le premier à partir, quand il eut reçu deux envoyés de l'abbé de Cluny qui réussirent à le convaincre de gagner l'abbaye bourguignonne. De là, il fut envoyé en Espagne pour convertir les Sarrasins. Il mourut dans le Toulousain lors d'une épidémie de peste, vers 1085. Robert, quant à lui, prit rapidement l'ascendant sur ses compagnons. Il les instruisait ainsi et nourrissait leur vie spirituelle en commentant, à l'occasion, le Cantique des cantiques. En 1066, il fut appelé par l'évêque de Bayeux pour réformer, avec ses frères, l'abbaye de Saint-Vigor dont il deviendra finalement abbé. Il ne mit en forme son commentaire du Cantique que vers 1070 à la demande de son ancien disciple Anfroi, abbé depuis 1045. Il accompagna son œuvre d'une lettre dédicatoire qui nous fait connaître les péripéties de la lente gestation de son œuvre. Ce commentaire prouve la vigueur de la réflexion théologique de son auteur et sa connaissance maîtrisée de l'exégèse telle qu'elle était pratiquée en son temps. Il y met en pratique les principes élaborés au IVe siècle par Origène, repris par saint Jérôme, et qui mettent en lumière les quatre sens de l'Écriture, en insistant sur tout ce qui, dans le *Cantique*, pouvait exprimer, typologiquement, l'union du moine à Dieu. Robert dut suivre son protecteur de Bayeux en disgrâce et gagner l'Italie. Il fit à Salerne une carrière honorable à la cour pontificale. Après la mort de Renouf, il revint au Mont où il mourut en 1090.

Quoi qu'il en soit du groupe des moines dissidents, Renouf se montra un homme avisé. Il sut recréer des conditions de vie apaisée. En particulier, il racheta le fameux moulin du Comte, en 1061, et n'oublia jamais qu'il devait son élection à un compromis entre le convent et le duc. Aussi, quand Guillaume partit à la conquête de l'Angleterre, Renouf arma-t-il six bateaux avec un certain nombre de moines à bord. Ainsi s'ouvrait une page nouvelle de l'histoire montoise, qui étendit sa sphère d'influence, durablement, de l'autre côté de la Manche. Les moines que Renouf avait choisis étaient des hommes de valeur. Il y avait parmi eux Ruaud, qui devint abbé de Hide, Scolland, abbé de Canterbury, Guillaume d'Agon, abbé de Cerne, et Serlon, qui devint plus tard, fondateur de l'abbaye de Gloucester.

L'élection de l'abbé comportait, nous l'avons vu, un enjeu important aussi bien pour le pouvoir que pour les moines. C'est probablement pendant le pèlerinage de Raoul de Beaumont en Terre sainte, ou juste après l'élection de Renouf, qu'au Mont des frères constituèrent un dossier qui montrerait la légitimité d'une élection vraiment libre. Ils ne voulurent pas produire une pétition de principe, mais fournirent des pièces historiques spécifiques au Mont-Saint-Michel. Le moment se prêtait à une telle entreprise. Ce fut l'*Introductio monachorum* où les moines relisaient l'histoire de l'abbaye depuis Mainard Ier, en portant tout ce qui se passait dans l'abbaye au crédit de la maison normande qui assurait seule, au moment de la rédaction de ce texte, la grandeur du sanctuaire, sans craindre, ce faisant, les anachronismes. Il fallait faire feu de tout bois. Le duc Richard Ier y devint la figure exemplaire du souverain qui savait respecter l'indépendance du monastère et la faire confirmer au plus haut niveau. Ainsi, le texte est accompagné, preuves indubitables, d'une bulle de Jean XIII et d'une charte du roi Lothaire qui confirment la liberté des élections abbatiales. Il semble bien néanmoins que ces pièces soient des documents de circonstance[1]. La démarche était politiquement habile ; c'était une manière subtile de faire allégeance à Guillaume et, si le duc faisait droit à la requête montoise, les moines lui offraient l'occasion de se montrer digne de son aïeul Richard. Toute trace d'influence bretonne dans la vie du monastère était désormais effacée. Seule la liturgie témoignait encore, pour les initiés, du moins, des liens du monastère avec la maison de Rennes. Très logiquement, comme pour conforter l'argu-

1. Certains spécialistes attestent cependant de l'authenticité de la charte royale.

mentation du document nouvellement produit, des récits de *miracula* fleurirent qui montraient, si besoin était, le choix par Dieu et saint Michel de ce sanctuaire.

Pendant l'abbatiat de Renouf, malgré les défections de certains frères, ou peut-être grâce à elles, les tensions dans la communauté s'apaisèrent ; le travail intellectuel put se développer remarquablement sur les bases solides qu'avait établies le contesté Suppo. Le scriptorium connut alors son apogée. « Si l'on en juge uniquement par les manuscrits subsistants, il semble que jamais le *scriptorium* du Mont n'abrita un tel collège de savants et d'artistes. »[1] Avant tout, il faut mentionner, durant ce XIe siècle, la réalisation, dans le scriptorium montois, de l'œuvre exceptionnelle que représentent les deux volumes de la Bible aujourd'hui conservés à Bordeaux. Elle resta longtemps au Mont avant de se retrouver à l'abbaye de la Sauve-Majeure. Cette Bible témoigne de la vénération dont les moines entouraient alors l'Écriture sainte. Avec elle, et c'est dans la logique de la règle de saint Benoît, les Pères de l'Église continuaient d'être à l'honneur. On trouvait alors dans le monastère les plus grands commentaires de l'Écriture : le *De genesi ad litteram*, le *Traité sur les psaumes* d'Augustin[2], le *Commentaire sur l'évangile de Luc* d'Ambroise de Milan[3], le *Traité sur la Genèse* de Jérôme, et son pendant carolingien, celui d'Haymon d'Auxerre[4], les *Commentaires* de Jérôme *sur le Deutéronome* mais aussi sur les prophètes *Ézéchiel* et *Isaïe*[5], des commentaires de Grégoire le Grand sur *Ézéchiel*[6], sur les *Épîtres de Paul*. Parallèlement aux études proprement exégétiques, les moines s'intéressaient aux grandes questions théologiques. Les débats trinitaires figuraient largement dans leur

1. DOSDAT, Monique, *L'enluminure romane au Mont-Saint-Michel*, Éditions Ouest-France, Rennes, 2006, p. 71.
2. BMA, Ms. 75, 76, 77, transcrit par le moine Gyraldus, 78.
3. BMA, Ms. 59.
4. BMA, Ms. 68.
5. BMA, Ms. 69.
6. BMA, Ms. 99.

champ de réflexion grâce aux œuvres de Cyprien de Carthage et de Jean de Tolède, au traité d'Alcuin, à un écrit de Gennade. Il faut encore citer la *Civitas Dei* de saint Augustin, qui expose une vision purement chrétienne du monde après la catastrophe que représenta le sac de Rome par Alaric en 410. Les *Dialogues* de Grégoire le Grand[1], ses *Moralia in Job*[2], les *Formulae spiritalis intelligentiae* d'Eucher de Lyon[3] marquent très nettement le souci d'une spiritualité monastique vivante. La curiosité des moines ne se cantonnait pas aux questions strictement théologiques. Le mouvement de recherche philosophique et philologique se poursuivait. On continuait à étudier Cicéron, la grammaire avec Smaragde[4], mais surtout Aristote et ses *Catégories*. « Dès avant le XIIe siècle, les moines du Mont-Saint-Michel s'intéressaient à la Logique du Stagirite que Boèce avait légué à la postérité. »[5] Des essais d'apprentissage du grec sous forme de petites phrases furent faits à ce moment-là. Ils figurent au manuscrit 229, fol. 99, sous forme de phrases de conversation courante en latin, accompagnées de leur traduction grecque : « Da mihi panem. DOS ME PSOMI. Da mihi piscem et caseum et carnem et faba et poma. DOS ME OPSARIM KE TYRYM KE CREAS KE FABA KE MYLA. Donne-moi du pain. Donne-moi du poisson, du fromage, de la viande, des haricots et des fruits. » Avait-on le projet d'envoyer quelqu'un en Grèce ? Nous ne le saurons probablement jamais. Nombreuses étaient encore les œuvres d'Isidore de Séville et de Bède qui, par leur éclectisme, fournissaient une foule de renseignements techniques non seulement en matière de sciences bibliques et théologiques, mais aussi astronomiques et géographiques.

1. BMA, Ms. 101.
2. BMA, Ms. 97, 98.
3. BMA, Ms. 109.
4. BMA, Ms. 229.
5. VIOLA, Coloman, *Aristote au Mont Saint-Michel*, in *Millénaire...*, *op. cit.*, t. 2, p. 292.

On peut mentionner, enfin, dans le domaine liturgique, la copie d'un homiliaire[1] de Grégoire le Grand avec les péricopes des évangiles correspondantes et un colophon en vers, remarquable témoignage d'un travail communautaire :

« Les saints pères sont tout à fait dignes d'une pieuse louange, eux qui firent briller la sainte doctrine donnée par Dieu.

Après eux, ceux qui, avec la volonté d'être fiables reproduisirent leurs écrits, ont droit à des prières.

Qu'aient en partage les joies du paradis, tous ceux qui méritent de porter le nom d'enfants de saint Michel, le prince des nuées :

Gautier, justement surnommé le chantre,

Hilduin qui a recopié avec piété de nombreux livres,

Scollandus brillant en tout ce qui concerne la science sacrée, après eux Hermenalde, Osbern, Nicolas, trois Bretons qui vécurent dans la fidélité.

Tout remplis de science divine, ils brillèrent, ornements et colonnes de l'Église. Eux, chef bienfaisant de la milice céleste, qui désiraient sincèrement en tout temps te plaire, écrivirent ce livre – celui que tu lis, lecteur bien-aimé.

Ils le firent pour qu'on célèbre sans fin ta gloire, ô Michel, pour que tu leur obtiennes en retour une récompense dans le ciel.

Et c'est afin que par tes bienheureuses prières, saint Grégoire, ils puissent jouir de la gloire bienveillante de Dieu, qu'ils ont recopié fidèlement tes saintes œuvres – dans celles-ci, qui que tu sois qui lises attentivement, tu trouveras ce que Dieu accorde avec largesse à un cœur généreux. »

C'est à cette époque encore que les moines copistes réalisèrent, pour l'usage de l'abbé qui présidait la célébration, un magnifique missel aujourd'hui à New York[2],

1. BMA, Ms. 103.
2. Pierpont Library, New York, Ms. 614.

témoin précieux, bien que lacunaire, de la liturgie montoise du XIe siècle. On ajoutera enfin le début d'un hymne à saint Michel, spécifiquement montois, avec sa notation neumatique[1] :

Signifer exercitus angelorum Michael	Chef de l'armée des anges, Michel,
rege nos in proelio fideli patrocinio	Conduis-nous dans le combat sous ta
debellaturus hostem apostatam	fidèle protection, toi qui es prêt à
ad laudem summi regis et gloriam	combattre l'ennemi apostat pour la
	louange et la gloire du souverain roi,
O hierarcha Michael averte a nobis	Ô toi, grand-prêtre Michel, détourne
divine plagas iracundi	de nous les coups de la colère de Dieu,
et pro caritate rea praecinctus	toi qui, en signe d'amour, portes
circa pectus zona aurea.	autour de la poitrine la ceinture d'or.

Tout montre qu'au XIe siècle la capacité de réflexion et d'invention des moines montois était remarquablement vigoureuse.

Renouf mourut le 19 décembre de l'année 1085, au terme d'un abbatiat qui fut l'un des plus longs de l'histoire montoise. Mais si, pour lui élire un successeur, les moines espéraient que le dossier qu'ils avaient constitué serait efficace, ils en furent pour leurs frais. Guillaume, roi d'Angleterre depuis 1066, leur imposa son candidat : Roger, son chapelain, ancien moine de Saint-Étienne de Caen qui prit la tête de l'abbaye montoise dans les derniers jours de 1085. Contrairement à ses prédécesseurs venus de l'extérieur, quand son protecteur mourut, le 9 septembre 1087, il sut se maintenir sur son siège pendant près de vingt et un ans, jusqu'en 1106.

Guillaume pensait avoir réglé sa propre succession en donnant à son aîné, Robert Courteheuse, la Normandie et à Guillaume le Roux, son cadet, la couronne d'Angleterre.

1. BMA, Ms. 109. Nous en donnons un essai de transcription et de traduction.

Certes, en 1088, le duc Robert accorda à l'abbaye un droit de foire à Ardevon et fit don d'une maison à Rouen, mais, la même année, il vendit au plus jeune de ses frères, Henri Beauclerc[1], qui avait reçu en héritage une forte somme d'argent, une partie de la Basse-Normandie. Trois ans plus tard, le roi Guillaume le Roux et le duc Robert s'entendirent pour attaquer Henri Beauclerc. Celui-ci trouva refuge au Mont ; et l'abbaye, pour la première fois, se trouva l'otage d'un conflit armé. La place fut assiégée pendant quinze jours au terme desquels Henri se rendit à ses frères.

En 1094, des tensions se firent jour parmi les moines au point que l'abbé en vint à disperser les plus durs de ses opposants dans différents monastères normands. La situation matérielle semble s'être alors dégradée. Des désordres se produisirent dans le bas-côté nord de l'église. Il n'y fut pas remédié, et, à Pâques 1103, pendant les matines du samedi saint, c'est tout le côté nord de la nef qui s'effondra sur le dortoir, le détruisant et défonçant les planchers des salles situées en dessous. Heureusement il n'y eut pas de victimes. Parmi les causes probables de ce désastre, « l'effritement, ou la dégradation, des mortiers » qui « explique grand nombre de tassements »[2]. Cette catastrophe dut encore exacerber un peu plus les tensions entre les moines et leur supérieur. En 1106, tous se retrouvèrent devant le duc Henri Beauclerc, devenu entre-temps Henri Ier d'Angleterre. Roger ne voulut rien céder. Contraint de démissionner, il fut aussitôt nommé abbé de Cernel. Mais, pas plus que son père, Henri ne laissa le choix aux moines pour trouver un successeur à l'abbé démis. Il leur imposa le prieur de Jumièges, qui devint Roger II.

Son abbatiat fut occupé par une série de travaux importants dans l'abbaye. Tout d'abord, il lui fallut répa-

1. Ce prince devint roi d'Angleterre en 1100 et régna jusqu'en 1135.
2. LEGROS, Jean-Luc, *Le Mont-Saint-Michel, architecture et civilisation*, CRDP Basse-Normandie, Charles Corlet, 2005, p. 40.

rer les conséquences de la catastrophe de 1103. Il semble avoir voulu mener le chantier en partant des parties basses du bâtiment. Pour cela, il fit voûter la salle dite « de l'Aquilon », puis le « promenoir » qui se trouve au-dessus, pour assurer une meilleure solidité à un ensemble très éprouvé. Plus au nord, il construisit une partie du bâtiment, qui deviendra la Merveille : ce qui sera appelé le « cellier », au moins. Il est difficile de préciser davantage. En 1112, un incendie dans les toitures vint encore alourdir sa charge. Curieusement, la nef de l'église abbatiale ne fut pas réparée. On peut supposer cependant qu'elle n'est pas restée à l'air libre. La communauté semble avoir, pour un temps, retrouvé la paix, grâce à la gestion avisée de l'abbé. Roger sut, par exemple, amener à résipiscence Thomas de saint Jean qui s'était emparé de forêts appartenant à l'abbaye. Il accueillit encore Guillaume de Tracy qui abandonna au monastère des dîmes auxquelles il avait droit à La Lucerne, à Champeaux, à Saint-Vigor et à Argouges. Mais, comme son prédécesseur, il fut traduit devant le roi, en 1123. Ce ne fut cependant pas, cette fois, par ses moines, mais par un officier royal. Il dut regagner Jumièges, où il mourut l'année suivante. Henri Ier imposa alors un moine de Cluny, Richard de Méré. Celui-ci semble avoir eu davantage le souci de sa propre personne et de son train de vie que du bien-être de son abbaye. Il ne fit aucun des travaux nécessaires et laissa le temporel aller à vau-l'eau. Le plus étonnant est que, malgré son abbé, la communauté ait gardé son prestige : le frère Donoald fut alors appelé au siège épiscopal de Saint-Malo, tandis que Guillaume devint abbé de Saint-Florent et Gosselin abbé de Fleury. Au bout de quatre ans, cependant, les moines adressèrent une plainte au roi qui renvoya l'abbé dans son monastère d'origine. Il fallait alors à l'institution montoise un nouvel élan. C'est l'abbaye du Bec-Hellouin qui allait en être la cheville ouvrière.

CHAPITRE III

L'APOGÉE

Henri Ier prit alors le temps de la réflexion. En attendant de trouver le candidat qui lui convienne et qui puisse être adopté par le convent, il nomma des officiers royaux pour veiller au temporel et assainir les finances de l'abbaye qui étaient mauvaises. En 1131, après une vacance de presque trois ans, Bernard fut désigné comme candidat. Il était moine de l'abbaye du Bec-Hellouin qui, sous l'impulsion de Lanfranc et de saint Anselme, était devenue un centre monastique de premier ordre. Elle avait déjà donné un pape, Alexandre II (1061-1073), et un nombre important d'évêques, parmi lesquels Yves de Chartres, un des plus grands canonistes du siècle, et Jean qui fut légat pontifical. Pendant les dix-huit ans de son abbatiat, Bernard déploya une activité remarquable. Sa première urgence fut de procurer à ses moines des conditions de vie qui satisfassent leurs besoins matériels autant que spirituels. Il leur offrit, en particulier, des espaces où faire retraite dans la tranquillité de la contemplation. C'est dans cette perspective qu'il érigea Tombelaine en prieuré, en 1137. Il y établit un petit groupe de moines permanent qui, sous la conduite d'un prieur, accueillerait les frères de l'abbaye que l'abbé enverrait se ressourcer. Il y aménagea des bâtiments adaptés et rénova l'église. Ainsi, l'ermitage d'Anastase et de Robert devint-il une annexe de l'abbaye. À Brion, près de Genêts,

Bernard construisit un véritable monastère, dont subsistent quelques éléments architecturaux dans ce qui est devenu un manoir. Les moines prirent l'habitude de se retirer trois par trois, à tour de rôle, dans ces lieux de solitude. Qu'ils acceptent cela montre une volonté de ressourcement spirituel et un grand sérieux dans la pratique monastique.

C'est encore Bernard qui érigea le prieuré de Saint-Michel-en-Cournouaille, dans la partie anglaise du royaume d'Henri. Il y avait là un rocher dont le comte de Mortain avait fait don au Mont. Son emplacement et sa configuration en faisait un lieu prédestiné à l'abbaye montoise. Bernard y fit construire des bâtiments nécessaires pour les douze moines qu'il y envoyait. Tous les biens que possédait l'abbaye de l'autre côté de la Manche furent attribués à ce nouveau prieuré contre une rente annuelle à l'abbaye-mère.

La multiplication des prieurés amena l'abbé à réunir les responsables de ces établissements, les prieurs forains, aux grandes fêtes quand ils étaient à proximité et à organiser tous les ans, à la Saint-Aubert, le 18 juin, ou à la Saint-Michel, un chapitre général auquel tous devaient participer pour rendre compte de l'état de leur maison. En retour, ils recevaient la bénédiction de l'abbé, qui valait quitus. Le cas échéant, ils pouvaient être révoqués, avec l'accord du convent.

Sur le Rocher, Bernard acheva la restauration de la nef qui avait tant souffert de l'incendie de 1103 ; il fit encore voûter d'ogives la croisée du transept. Dans le monastère, on pense qu'il pourrait avoir bâti ce qui est désigné aujourd'hui comme l'aumônerie : « Il est totalement exclu, écrit M. Baylé, qu'elle appartienne au XIe siècle : les supports, avec leurs bases dérivées de l'attique à tores débordants et leurs gros chapiteaux lisses largement évasés vers de petites volutes, se placent dans les années 1140 au plus tôt. »[1] Faire des travaux nécessitait des fonds. Bernard sut

1. BAYLÉ, Maylis, *Le Mont-Saint-Michel. Histoire et imaginaire*, Anthèse-Éditions du patrimoine, 1998, p. 114.

remettre en ordre les finances du monastère. Il eut l'habileté de réclamer ses droits sur des terres spoliées durant la période troublée de Richard de Méré, son prédécesseur, en passant des accords qui lui permirent d'éviter des conflits sans fin et d'épargner à l'abbaye le coût de nombreux procès. Quelques-uns de ces anciens spoliateurs devinrent même moines, parmi lesquels Bernard, fils d'Homenès, et Richard de Boucey. Pierre, marié et père de famille, fut aussi l'un d'eux. Il abandonna ses biens à l'abbé, à l'exception de quelques acres de terre à Guernesey ; en dédommagement, l'abbé assura une rente à sa femme et à sa fille.

À la fin de l'année 1135, Henri Ier mourut sans laisser d'héritier mâle. Son fils avait, en effet, péri dans le naufrage de *La Blanche-Nef* ; aussi avait-il fait reconnaître sa fille, Mathilde, comme héritière du royaume, mais Étienne de Blois réclama ses droits et devint roi. Une guerre de succession éclata, qui devait durer jusqu'à sa mort, en 1154. C'est alors Henri II Plantagenêt, le fils de Mathilde, qui lui succéda.

Durant cette période, des troubles se produisirent dans la région. Avranches avait pris le parti d'Étienne de Blois ; l'abbaye, en revanche, était restée du côté de la reine Mathilde. Une révolte se cristallisa alors contre les moines, ourdie par les neveux d'un prêtre de la paroisse, un certain Roger. Ils s'estimaient lésés : « En vertu d'un usage très ancien, en effet, quelques habitants du Mont recueillaient une partie des offrandes faites à l'archange : ils recevaient des légumes, du froment, la moitié de la laine et du lin, des volatiles vivants ou morts, sans oublier du pain et de l'argent. Or, dans les premières années de l'abbatiat de Bernard du Bec, Roger, qui était gratifié de ces dons, les avait abandonnés aux moines[1]. » C'est ce que n'acceptaient pas les héritiers. Les conjurés mirent donc le feu au village. L'église abbatiale en sortit

1. DUFIEF, André, *La vie monastique au Mont-Saint-Michel pendant le XIIe siècle (1085-1186)*, in *Millénaire... op. cit.*, t. 1, p. 98.

indemne, mais les moines durent réparer les torts faits aux habitants, puisque tout ce qui était sur le Rocher leur appartenait. D'autres puissants de la région profitèrent des troubles pour piller et rançonner sur les terres de l'abbaye. Les dernières années de Bernard en furent ternies. Mais quand il mourut, le 8 mai 1149, ses moines le considéraient comme vénérable.

Sa succession pourrait ressembler à une mauvaise farce si les moines n'avaient pas eu à en subir les turbulences. Que s'est-il donc passé ? Acte I : le convent, toujours prêt à affirmer son droit, choisit, de son propre chef, Geoffroy, un des siens. Il agissait conformément à la règle, mais sans *licentia eligendi*, l'autorisation de procéder à l'élection qu'il devait solliciter auprès du duc, à l'époque Geoffroy Plantagenêt, le père du futur Henri II. En représailles, le duc fit saisir tous les biens de l'abbaye et ne les rendit qu'au prix d'une forte amende qui ruina les finances du monastère. Les moines, cependant, virent l'élection de Geoffroy confirmée par le pape. Ils croyaient n'avoir pas tout perdu, quand l'impétrant mourut quelques jours après la confirmation pontificale, fin décembre 1150. Acte II : la même année, le duc Geoffroy avait laissé la Normandie à son fils Henri. Rendus provisoirement prudents, les moines attendirent deux ans, sur les conseils de l'évêque d'Avranches Richard de Subligny, avant d'élire l'un des leurs, Richard de La Mouche, cousin dudit évêque, mais, à nouveau, sans solliciter l'accord du duc. Henri II fit, à son tour, confisquer tous les objets précieux de l'abbaye. L'évêque Richard lui-même fut expulsé du duché. Des administrateurs furent nommés : deux clercs et trois laïcs. Cette situation dura deux ans et demi. Acte III : les moines, sous la pression du duc, cassèrent l'élection de Richard de La Mouche et choisirent à sa place Robert Hardy, cellérier de Fécamp. Richard en appela alors au pape qui le confirma. Ordre fut donné à son cousin, l'évêque, de procéder à la bénédiction abbatiale ; Robert Hardy, lui, devait être frappé d'excommunication, s'il persistait. L'évêque bénit

Richard dans la cathédrale d'Avranches, en présence d'un seul moine du Mont ; les autres ne voulurent pas rouvrir les hostilités avec le Plantagenêt, qui était devenu extrêmement puissant : duc de Normandie, comte d'Anjou et du Maine, puis duc d'Aquitaine par son mariage avec Aliénor, le 18 mai 1152. Mais Richard de La Mouche, bien que béni, ne put prendre possession de son siège abbatial. Acte IV : en 1153, toutes les parties en cause se retrouvèrent à Rome, Richard et son cousin d'Avranches, Robert et une délégation de moines. Eugène III confirma à nouveau Richard et menaça le duc Henri II d'interdit s'il n'acceptait pas la décision papale. L'affaire prenait donc une tournure dangereuse ; on risquait un conflit majeur entre le jeune duc et le Saint-Siège. Acte V : la Providence veillait et rappela à elle les trois acteurs du drame : Richard de La Mouche, l'évêque d'Avranches et Robert Hardy moururent tous trois en Italie sur le chemin du retour, pendant l'été 1153. Dom Thomas Le Roy, en 1647, après avoir signalé l'arrivée des délégations auprès du pape, écrit non sans humour : « Mais Dieu envoya la bonace après la tempête, retirant à soy l'évêque et les deux abbés, vers la fin de 1152 [*sic*], étant tous encore en Italie. »[1] Le rideau tombait enfin sur une période d'anarchie très dommageable pour le monastère.

Pour en sortir, chacun voulut trouver un homme de consensus. On se tourna à nouveau vers l'abbaye du Bec. Un candidat idoine fut trouvé en la personne du prieur, Robert. C'était un homme d'âge mûr qui avait embrassé la vie monastique en 1128[2]. Il avait l'expérience des affaires du cloître. C'était aussi un voisin du Mont, puisqu'il était né à Torigni-sur-Vire, vers 1110, dans une famille

1. Dom LE ROY, Thomas, *Les curieuses recherches du Mont-Saint-Michel*, édition Eugène de Robillard de Beaurepaire, Caen, 1878, t. 1, p. 163.

2. ROBERT DE TORIGNI, *Annales*, édition établie par Léopold Delisle, Librairie de la Société de l'histoire de Normandie, Rouen, 1873, t. 2, p. 234.

aristocratique. « Les manuscripts de ce Mont disent – selon dom Thomas Le Roy – que Robert estoit fils de Téduin et Agnès, seigneur, et dame de Thorigny, très illustre maison en la province de Normandie. »[1] Il ferait un abbé de bonne souche. Au Bec, il comptait parmi les lettrés, marquant une prédilection pour l'histoire. En 1139, Henri de Huntington, un des meilleurs historiographes anglais de cette époque, après un passage au Bec, fit l'éloge de ses talents de chercheur : « J'y rencontrai Robert de Torigni, moine de ce monastère, grand chercheur et rassembleur de livres tant profanes que sacrés. »[2] C'est au Bec que Robert avait pris connaissance de la chronique de Sigebert de Gembloux, laquelle retraçait les événements du monde depuis le temps d'Abraham jusqu'en 1112. Il entreprit de la compléter avec l'histoire des premiers ducs de Normandie jusqu'en 1160. Il ne cessera tout au long de sa vie de l'amender en s'inspirant largement d'historiens contemporains.

Robert était certainement un moine en vue dans son abbaye. En 1149, en effet, il en devint le prieur claustral, c'est-à-dire celui qui, en toute circonstance, seconde l'abbé et le remplace quand il est absent. On pouvait lui confier toutes sortes de missions importantes et délicates. En 1147, « Henri, le fils du duc Geoffroy et de l'impératrice[3], alors qu'il venait d'Angleterre, avait été reçu solennellement, en procession, par le convent du Bec, le jour de l'Ascension. »[4] C'est sans doute à cette occasion qu'une solide amitié se noua entre les deux hommes. Elle ne se démentira jamais. Robert deviendra même assez intime avec la famille royale pour être choisi comme le parrain, en 1161, de la jeune Aliénor, née à Domfront. Il

1. Dom LE ROY 1878, *op. cit.*, t. 1, p. 163.

2. ROBERT DE TORIGNI : *Chronique*, ed. Leopold Delisle, Rouen, 1872, t. 1, p. 97-98.

3. Mathilde (1102-1167) est surnommée impératrice ou « emperesse », car elle était veuve d'Henri V du Saint Empire romain germanique.

4. *Ibid.*, p. 243.

semble avoir éprouvé une vive affection pour cette petite princesse. Le seul moment où il se laissa aller à exprimer quelque chose d'un peu personnel dans sa *Chronique* fut précisément à l'occasion du mariage de cette filleule qu'il nommait alors « *dominam meam et filiolam in baptismate* »[1]. On a parfois vu en Robert un courtisan, habile selon les uns, quelque peu servile selon d'autres, voire cynique. Il fut plus probablement un ami fidèle. Trop ? Certainement, quand il garda un silence que les siècles n'effacèrent pas, après le meurtre de Thomas Becket en 1170. Il connaissait l'archevêque. Il était forcément au courant…

Robert fut élu, à l'unanimité, quinzième abbé du Mont, le 27 mai 1154. Il fut approuvé aussitôt par le métropolitain de Rouen, l'archevêque Hugues d'Amiens, qui le connaissait bien, et confirmé par le duc Henri, le 24 juin. Il reçut la bénédiction abbatiale des mains d'Herbert, évêque d'Avranches, à Saint-Philibert-sur-Risle, le 2 juillet, en présence des évêques de Rouen, de Sées, et de l'abbé du Bec, bien sûr. Il put alors prendre possession de son siège. Dès son arrivée au Mont, il sut maintenir l'observance, mais sans excès, accordant, à certaines fêtes, des améliorations substantielles à l'ordinaire. Pour assurer le service du sanctuaire et la vie du monastère, il lui fallait des troupes en bonne santé. Son souci immédiat fut de réorganiser le temporel car l'abbaye, pendant les cinq années qui précédèrent son élection, avait vu ses finances sérieusement mises à mal. Dans le monastère, il eut soin de rationaliser les dépenses. Il tenta d'organiser les comptes, en affectant des revenus fixes à certains offices importants. Ainsi, en 1168, concéda-t-il au responsable de la cuisine les revenus de deux acres de terre, en plus du sel et de la portion de viande nécessaires aux moines. La paroisse du Mont, elle aussi, avait besoin de réforme. Il fallait améliorer sa gestion et réduire le nombre de ceux qui en tiraient des

1. ROBERT DE TORIGNI 1873, *op. cit.*, t. 2, p. 116.

revenus. De douze, il ramena les bénéficiaires à trois. Cela ne dut pas se faire sans contestation ; aussi l'abbé fit-il approuver sa mesure par le pape. Certains chevaliers des environs avaient profité de la période *sede vacante* pour accaparer des droits sur les terres de l'abbaye, d'autres pour ne pas s'acquitter de leurs dettes. Pour remédier à ces désordres, dès 1156, l'abbé entreprit une tournée de l'ensemble du domaine. Il parcourut les îles, Jersey et Guernesey. L'année suivante, il fit le tour des implantations montoises en Angleterre. Des officiers royaux, à cette occasion, eurent la malencontreuse idée de lui réclamer des taxes sur ses chevaux alors qu'il débarquait à Southampton. Dès son retour, il s'adressa au roi Henri qui résidait alors à Mortain et obtint sur le champ réparation.

Rapidement, il se lança dans les travaux. Outre des réfections sur les toitures de l'église et du réfectoire, la pose de nouveaux vitraux, c'est à l'ouest qu'il ouvrit son principal chantier. Il éleva, sur trois étages, un nouveau bâtiment qui venait s'appuyer sur les arcades qui abritaient l'accès à l'église. L'entrée de l'abbaye en fut profondément modifiée. Les grandes ouvertures du portique obstruées, une nouvelle porterie fut placée dans la montée à l'église. Elle consistait en un logis spacieux et chauffé. Sous cette loge, Robert fit mettre les instruments de la justice seigneuriale dont il était dépositaire et exécutant : deux cachots qu'on désignait par une expression d'autant plus choquante pour nous qu'elle vient du sacrement de pénitence, censé opérer la réconciliation du pécheur avec l'Église : (*vade*) *In-Pace,* (va) en paix. Instruments redoutables, ils n'avaient d'autre accès qu'un trou ménagé dans le sol de la porterie, et d'autre aération qu'une très petite meurtrière assombrie par les murailles extrêmement épaisses à cet endroit. Ces cachots ont-ils servi au Moyen Âge ? C'est vraisemblable, et même probable. Nous n'avons cependant pas d'attestation de leur usage avant qu'ils soient réaménagés au XIXe siècle par l'administration pénitentiaire. Au-dessus de cette nouvelle porterie, Robert fit installer un logis abbatial. Ce logement comportait quatre pièces de facture, somme toute, assez médiocre. On peut s'étonner qu'un homme de son rang n'ait pas cherché à se faire édifier une résidence prestigieuse ; c'est ce que feront ses successeurs deux siècles plus tard[1]. Cet appartement permettait à l'abbé d'exercer pleinement sa charge tant seigneuriale que pastorale. Son tribunal se trouvait désormais à l'aplomb de l'entrée du monastère, illustrant ainsi la vieille conception biblique selon laquelle la justice était rendue aux portes des villes, appelées, en la circonstance, « portes de justice »[2]. L'abbé pouvait encore recevoir les visiteurs extérieurs sans que la vie du monastère en fût perturbée. La clôture, en effet, était stricte. Personne, hormis l'évêque, à moins d'y être invité, et encore exceptionnellement, ne pouvait pénétrer dans la partie réservée aux moines, sous peine d'excommunication. En prolongement de son logis, au sud, Robert fit édifier un nouveau bâtiment de trois étages. Une hôtellerie y fut placée au niveau intermédiaire de sorte qu'il puisse y avoir un accès direct au logis abbatial. Au-dessous, deux caves équipées d'un poulain servaient à stocker des marchandises ; au dernier étage de la construction, Robert plaça une infirmerie plus confortable que celle qui se trouvait le long du dortoir et qui demandait elle aussi des travaux. Dans les vestiges de

1. Une restauration récente, menée par Pierre-André Lablaude, a permis de retrouver le décor peint d'une des pièces. La voûte et la partie supérieure des murs est couverte de fleurs de lys, brunes sur fond clair ; au soubassement figurent des restes d'un dessin d'arcades qui rappellent, de façon tout à fait surprenante, par leur forme, leur légèreté et leur délicatesse, celles du cloître. Ces fresques sont postérieures à Robert. Le semis de fleurs de lys n'apparaît pas, comme emblème royal, avant 1211. On le trouve alors sur le sceau du futur Louis VIII de France. Ce prince ne deviendra roi qu'en 1223 ; ceci peut constituer un *terminus a quo* pour ce décor qui est donc à peu près contemporain de la construction du cloître. Raoul des Isles était alors abbé. On peut supposer que ce logis, au temps de Robert aussi, était entièrement couvert d'un décor peint à fresque.

2. Ps 117, 19 : « Ouvrez les portes de justice. »

cette construction maintenant ruinée, on a retrouvé deux fragments d'un décor peint à fresque, le seul, au Mont, qui soit historié. Il représente, comme c'était fréquent au XIVe siècle, le cortège de trois défunts et, selon toute apparence, un morceau de la roue du destin. L'abbé prolongea ce premier bâtiment, au sud, par un second, dont l'étage intermédiaire est occupé par une chapelle dédiée à saint Étienne. D'abord couverte d'une charpente, elle reçut ses très élégantes voûtes d'ogive au XIIIe siècle. On la tient, depuis Paul Gout, pour une chapelle mortuaire dans laquelle on aurait préparé les frères défunts avant de les déposer dans un caveau provisoire pour que le temps fasse son œuvre et qu'on puisse déposer leurs restes dans un ossuaire contigu. Cependant, cela ne correspond guère à l'usage monastique bénédictin. Quand un frère mourait, en effet, il était exposé dans le chœur l'église du monastère et veillé par les autres moines. Quelle utilité avait, dans ce cas, une chapelle mortuaire ? En outre, on ne connaît pas d'ossuaire dans les monastères d'Occident, contrairement à certains établissements orientaux comme celui de Sainte-Catherine au Sinaï ou encore celui de Saint-Saba, non loin de Bethléem. Ce sont, en fait, les travaux entrepris par Richard Turstin, au XIIIe siècle, qui nécessitèrent le déplacement du cimetière. Au temps de Robert, rien n'imposait de remplacer l'ancienne chapelle cémétariale. La chapelle Saint-Étienne était, en revanche, à proximité immédiate de l'hôtellerie. Elle fait plutôt penser à la chapelle Sainte-Madeleine. Comme elle, elle communiquait avec la Salle des Hôtes et permettait de les recevoir selon le cérémonial prévu par la règle : « Aussitôt accueillis, les hôtes seront conduits à l'oratoire. Puis le supérieur, ou tel autre qui en aura reçu le mandat, s'assiéra en leur compagnie et leur lira l'Écriture. Ensuite on les traitera avec toute l'honnêteté que l'on pourra. [...] L'abbé versera de l'eau sur les mains des hôtes. [...] Ce sont les pauvres surtout et les pèlerins qu'on entourera le plus d'attention parce que c'est principalement en leur personne qu'on reçoit le Christ. Pour les riches, en effet, la crainte de leur déplaire porte d'elle-même à les honorer. »[1] Benoît connaissait bien les hommes et n'était pas dépourvu de malice ! Au-dessus de cette chapelle, furent élevées, sur deux étages, des salles destinées aux novices et aux enfants qui avaient été confiés à l'abbaye par leurs parents. C'est là que se trouvait l'école qui assurait la formation de base des candidats à la vie monastique. Outre ces bâtiments, Robert voulut laisser sa marque dans l'église. Il en modifia le porche en le flanquant, au nord et au sud, de deux tours. Dans la première, il aménagea ce que nous appellerions une « bibliothèque ». Elle abritait une partie importante des quelque quatre cents volumes qui constituaient alors le fonds du scriptorium. L'effondrement de ladite tour quelques années après sa construction, somme toute fort hasardeuse, causa la perte irrémédiable d'un nombre conséquent de volumes. La tour du sud, elle, resta debout jusqu'en 1776.

Homme d'Église, Robert avait des contacts fréquents avec les évêques et les abbés de la région. Avec l'évêque d'Avranches Herbert, les rapports étaient délicats, car les privilèges accordés par Henri à l'abbaye empiétaient souvent sur les prérogatives du diocèse, d'autant que l'abbé avait l'appui direct du métropolite de Rouen, son ami Hugues d'Amiens. Avec le voisin de Rennes, les choses étaient plus simples, d'ailleurs l'évêque confirma l'abbaye dans ses biens en Bretagne. Il intervint dans un différend entre un desservant de Saint-Broladre et l'abbé. Un accord équilibré fut trouvé. L'évêque de Dol ne fut pas en reste. Il concéda à l'abbaye, en 1158, la chapelle du Mont-Dol. En 1163, enfin, Robert fut encore invité par le pape Alexandre III à participer au concile de Tours qui devait se pencher sur la situation des monastères.

Le monachisme suscitait alors des vocations en nombre. L'Europe semblait se couvrir de noir et de blanc

1. *Reg.*, chap. 53.

avec le développement conjoint de l'ordre bénédictin et des cisterciens de saint Bernard. Les moines avaient la conviction d'être l'aile marchante du Royaume de Dieu en voie d'achèvement. C'est dans ce contexte que, sous la conduite de Robert, l'abbaye montoise connut un essor remarquable. Nombre de jeunes aristocrates y prirent l'habit. L'effectif atteignit, sur le Rocher, soixante moines de chœur. On peut, sans s'avancer trop, le porter à une bonne centaine, si on tient compte des prieurés. Le monde alors s'ouvrait considérablement. La croisade appelait vers l'Orient. On avait le sentiment d'une expansion possible à l'infini. L'espace féodal, jusqu'alors replié sur lui-même, changeait. Les populations se déplaçaient, les échanges s'accroissaient en même temps que de nouvelles étendues de souveraineté se dessinaient. Les rois d'Angleterre et de France se trouvaient l'un face à l'autre dans un jeu qui pouvait entraîner des déséquilibres profonds.

Toute l'œuvre historique de Robert, sa *Chronique*[1] en particulier, témoigne d'une conception de l'histoire en phase avec la conviction de l'accomplissement prochain d'une conquête universelle et d'une unification du genre humain par la foi. À la suite d'Eusèbe de Césarée et de Sigebert de Gembloux, il lui suffisait d'ordonner le passé pour montrer que ce qui était réalisé par les puissants, et particulièrement les plus proches, était la continuation de l'œuvre commencée avec Abraham. Quels que fussent ses avatars, le temps était ressenti comme un *continuum* dans lequel se résolvait toute l'histoire. Il ne pouvait plus y avoir d'autre nouveauté réelle que la Parousie, puisque tout était l'expression de l'unique dessein de Dieu. Les moines, dans ce contexte, avaient un rôle privilégié. Ils étaient les préposés à l'intercession puisque, par leur renoncement à la vie du siècle, ils donnaient une image de ce que serait la vie véritable dans le Royaume. On a beaucoup reproché à Robert, avec raison, son manque

1. BMA, Ms. 159.

d'analyse et de vues synthétiques, mais il ne pouvait guère en être autrement. Sans doute peut-on voir là une conception étroite de la réalité. Elle était pourtant une tentative de penser le monde comme un ensemble ordonné. Il lui fallait, pour s'affirmer, de nouveaux systèmes d'interprétation.

La richesse de ce qui reste du *scriptorium* montois de ce XIIe siècle montre clairement l'effervescence de la réflexion dans des domaines fondamentaux. Les moines passaient toujours beaucoup de temps à lire l'Écriture tout en la méditant. Ils s'adonnaient toujours à la *lectio divina*. C'était une méthode de lecture au cours de laquelle le texte parcouru en continu suscitait des instants de réflexion. Celle-ci devenait, au fur et à mesure, plus exigeante et se structurait. Le résultat fut une production abondante de gloses[1] marginales qui permettaient d'éclairer un texte parfois difficile, voire obscur. On tenait désormais en haute estime le travail d'Origène[2], à côté de celui de Jérôme[3]. Il devenait impérieux de réfléchir sur le texte avec la plus grande exactitude possible, grâce à une méthode mûrement élaborée par ces deux grands exégètes et mise en œuvre de façon certaine par des théologiens tels qu'Augustin[4] et Ambroise[5], dont on continuait de copier les grands textes exégétiques. Le texte scripturaire devint objet d'investigation à partir des langues originelles ; et à partir de recherches sur la valeur chiffrée des lettres dans les alphabets grec, hébraïque, araméen et même arabe[6], on collationnait des termes pour constituer des glossaires multilingues

1. BMA, Ms. 9, 10, 16.
2. BMA, Ms. 52.
3. BMA, Ms. 67.
4. BMA, Ms. 75 contient ses sermons sur la première épître de saint Jean et sur Pâques, BMA, Ms. 85 son fameux commentaire sur le sens littéral de le Genèse, BMA, Ms. 75 ses sermons sur l'Heptateuque.
5. BMA, Ms. 61.
6. BMA, Ms. 107.

et trouver ainsi un sens caché à des mots sans cesse répétés.

Si la relecture infinie de la même Écriture appelait une nouvelle herméneutique, des difficultés de plus en plus grandes apparaissaient pour penser le réel. Des interrogations se faisaient jour autour de la question de Dieu et du salut. Elles rendaient nécessaire d'arrimer solidement la réflexion théologique aux grands textes de la tradition. On recopia ainsi les grands traités d'Augustin, au premier rang desquels le *De Trinitate*[1], et les œuvres polémiques contre les Ariens, les Manichéens[2], les Pélagiens et les Donatistes[3] dans lesquelles s'étaient trouvés ouverts les grands débats autour de la conception chrétienne d'un Dieu incarné. On reproduisit aussi le *De libero arbitrio*[4] qui, dans la même logique, revisitait la conception antique de l'homme et de sa liberté. Des nouveautés apparurent, comme le platonisme avec le *Timée*[5] et les commentaires qui lui étaient attachés, le *péri Archon*[6] d'Origène qui repensait dans une perspective chrétienne les catégories de la psychologie antique distinguant le corps, l'esprit et l'âme. La présence nouvelle des œuvres du Pseudo-Denys, en particulier de sa *Hiérarchie céleste*, de sa *Théologie mystique*[7], et du *De divisione naturae* de Jean Scot Erigène, témoignait d'une exigence d'appréhension holistique de l'univers. Pareil courant de pensée accentuait un penchant vers une théologie contemplative ; ce que confirme aussi la lecture d'œuvres contemporaines, en particulier celles de l'école parisienne de l'abbaye de Saint-Victor, avec ses grands représentants Hugues et Richard[8]. Le *De Intel-*

1. BMA, Ms. 85.
2. BMA, Ms. 67.
3. BMA, Ms 83.
4. BMA, Ms. 85.
5. BMA, Ms. 226.
6. BMA, Ms. 66.
7. BMA, Ms. 47.
8. BMA, Ms. 89, 118.

lectibus[1] d'Abélard montre que les débats concernant les « universaux » n'étaient pas étrangers à la communauté. Celle-ci y était sans doute préparée par sa fréquentation d'Aristote. On transcrivit alors la *Physique,* le *De anima* et le *De memoria*[2] du Stagirite. On était à un moment crucial de la pensée où il s'agissait de distinguer les niveaux de la réalité. Un effort de maîtrise des discours et de la logique se faisait sentir. La complexité du monde se révélait dans la mesure même où l'on voulait en penser rigoureusement la cohérence.

Robert encouragea les études aristotéliciennes. Il fit recopier au Mont l'important travail entrepris par Jacques de Venise, à partir du texte grec. « Tandis qu'à Tolède, on traduisait les traités d'Aristote de l'arabe, les nouvelles traductions parvenues de l'Italie du Nord au Mont Saint-Michel présentaient la pensée d'Aristote puisée au texte grec. »[3] Et les moines montois ne se contentaient pas de recopier une traduction, ils produisaient aussi des commentaires : « Les gloses accompagnant les textes semblent être le résultat de la plus ancienne exégèse latine des ouvrages d'Aristote. »[4] « Nous devons reconnaître en cette abbaye un des centres les plus importants de diffusion de la littérature aristotélicienne pendant la seconde moitié du XIIe siècle. C'est au Mont Saint-Michel qu'il faut chercher, semble-t-il, les origines directes du grand mouvement péripatéticien qui prend bientôt racine à Paris et à Oxford. »[5]

C'est à ce moment encore qu'apparurent dans le *scriptorium* des traités de type scientifique. On s'intéressa à l'astronomie et à l'astrologie avec l'étude du zodiaque – mais aussi au calcul, aux poids et mesures, à l'astrolabe, à la mesure du temps au moyen de l'*horologion,* ainsi

1. BMA, Ms. 232.
2. BMA, Ms. 221, 230, 231.
3. VIOLA, Coloman, *Aristote au Mont-Saint-Michel*, in *Millénaire monastique du Mont Saint-Michel*, Lethielleux, 1967, p. 291, note 9.
4. *Ibid.*, p. 305.
5. *Ibid.*, p. 289.

qu'à certaines affections et aux moyens de les soigner[1]. L'intérêt marqué pour les mathématiques, comme pour la musique[2], en tant que systèmes permettant de saisir quelque chose de l'harmonie du tout, témoigne de l'effort d'une rationalité ordonnée à la contemplation des desseins éternels de Dieu. « Les médiévaux ont poursuivi un idéal de savoir, une conception du monde, où s'engageraient dans une haute et unique sagesse les ressources des diverses sciences réunies[3]. »

Toute cette activité intellectuelle aurait été impossible sans la largeur de vue de l'abbé. L'intérêt critique qu'il a pu formuler pour l'édition de certains textes, dont il rédigea la préface, en est un témoignage personnel. Il restitua à saint Augustin une série de textes alors attribués à Bède le Vénérable[4] et s'intéressa encore à une édition de l'*Histoire naturelle* de Pline l'Ancien.[5] Robert, historien et compilateur, poursuivit d'abord sa *Chronique* jusqu'en 1160, rédigea une partie des *Annales*, commit un traité *Sur les ordres monastiques et les abbayes normandes*.

Il fut par ailleurs le maître d'œuvre du *Cartulaire* de l'abbaye. C'est un catalogue assez systématique des documents officiels les plus importants concernant la vie de l'abbaye. Comme la *Chronique* de Robert, cet ouvrage témoignait de ce que le Mont répondait bien à sa vocation première et que, ce faisant, il prenait place dans la grande vision robertienne de l'histoire universelle. C'est ce qu'atteste, en tête de l'ouvrage, la présence de la *Revelatio*. L'abbaye de Robert était bien l'accomplissement de ce qu'avaient semé les fondateurs en leur temps. Le but poursuivi ici était cependant différent de

1. 204 BMA, Ms. 226 et 235.

2. BMA, Ms. 237, BOËCE, *De musica*.

3. CHENU, Marie-Dominique, *Introduction à l'étude de saint Thomas d'Aquin*, Université de Montréal, publications de l'Institut d'études médiévales, 1950, p. 56.

4. Théologien anglais du VIIIe siècle, BMA, Ms. 107.

5. Nous ne connaissons cependant que les premiers mots de ce dernier prologue.

celui de la *Chronique* et des *Annales*. Il répondait à une nécessité de gouvernement. Les documents rassemblés étaient autant de faire-valoir des droits du Mont sur ses terres et sur ses bénéfices. Ils constituaient un *compendium* de titres ou de donations opposables en cas de litige. Robert se donnait là un instrument de bonne administration du temporel. Il entendait aussi, grâce à cette œuvre, préparer l'avenir ; c'est probablement ce qui le poussa à y faire figurer également l'*Introductio monachorum* dont nous avons vu le caractère revendicatif, *pro domo*, concernant l'indépendance des moines pour l'élection d'un nouvel abbé. Manœuvre habile : elle faisait droit à un souci constant, et justifié, du convent, tout en ne risquant pas trop de froisser la susceptibilité royale. L'élection de Robert, son intimité avec le monarque, témoignaient, par le succès même de son gouvernement, de l'heureuse politique de compromis nécessaire en la matière.

Robert prit encore conscience que les pèlerins eux-mêmes avaient changé. Parmi eux, ceux des laïcs qui savaient lire désiraient de plus en plus être informés sur le sanctuaire montois, dans la langue vernaculaire. Il chargea un jeune frère doué, Guillaume de Saint-Pair, de rédiger, en langue romane, l'histoire de l'abbaye afin que chacun la connût avec exactitude. Il en résulta *Le roman du Mont-Saint-Michel*[1]. L'auteur y diffusait la version officielle de l'histoire, telle qu'elle figure dans le cartulaire et les recueils de miracles accrédités. Il confirmait, à sa manière, l'important travail que l'abbé soutenait et animait. Guillaume a écrit un long poème de plus de quatre mille vers, en octosyllabes à rimes plates, qui fait ses choux gras de bien des développements folkloriques concernant, au premier chef, les commencements de l'abbaye. Un seul exemple : c'est sous sa plume, que l'histoire de Bainus se colore de l'interprétation

1. GUILLAUME DE SAINT-PAIR, *Le roman du Mont-Saint-Michel*, Eugène de Beaurepaire, Caen, 1856, vv. 301-315, p. 10-11. Une édition critique est en préparation.

qui fait d'un bébé un des acteurs de la purification du rocher et un avatar de la figure biblique de David en faisant écho, dans sa mise en scène, au choix de celui-ci par le prophète Samuel en I S 16, 11-13 :

À Baïn est venuz tot dreit :	À Bain qui est venu directement,
« Diva ! fait-il as-tu enfanz	il demanda : « Par Dieu, n'as-tu pas
Ne mais ces unze ici ovrans ?	enfant en plus de ceux qui travaillent
« Oïl, dit-il, un sol petit ;	ici ? » « Oui, dit-il, un seul petit ; mais
Mais em berz est. » [...]	il est au berceau. » [...]
L enfant li unt tost aporté	Ils lui ont aussitôt amené l'enfant
Ou tost le berz où il estoit	Avec le berceau où il reposait.
Donc va Bain et si enfant	Bain, donc, et ses enfants
La pierre unt prise en solzlevant	Ont pris la pierre et, la soulevant,
Aval le mont l'ont roolée.	L'ont fait rouler en bas du mont[1].

Sa lecture des sources était littérale. Il entendait confirmer et magnifier la compréhension qu'on avait, depuis longtemps, du passé lointain de l'abbaye. Son récit mettait ainsi en place la chronologie simple et commode qui est devenue, au fil du temps, le cadre traditionnel de l'histoire montoise et même sa source, quand les autres sont muettes. Ce phénomène se comprend d'autant mieux que non seulement il confirmait toujours les faits déjà attestés, mais qu'il se chargeait encore de les préciser ou de les développer en recueillant les traditions orales qui circulaient dans et autour de l'abbaye. Ainsi, il est le seul à faire connaître l'itinéraire des frères qui vont chercher les reliques au mont Gargan. Il va de soi qu'oublier, comme on l'a fait si souvent, le genre littéraire de cette œuvre, pour en tirer des données historiques, est pour le moins hasardeux, même si elle garde sa valeur intrinsèque comme témoin de la vision que les moines avaient de leur propre histoire au XIIe siècle.

1. GUILLAUME DE SAINT-PAIR, 1856, *op. cit.*, vv. 310-315, p. 10-11.

Durant l'abbatiat de Robert, la situation extérieure changea en profondeur. Le relation au suzerain était avant tout personnelle. Elle supposait une proximité des uns et des autres aussi étroite que possible. Les corps intermédiaires étaient là pour pallier, momentanément, l'absence du souverain. Le roi-duc devait être aussi présent que possible sur toute l'étendue de son royaume. Or, Henri avait un domaine continental considérable, surtout depuis son mariage avec Aliénor d'Aquitaine. Roi d'Angleterre, il y passait une bonne partie de l'année ; la Manche était pour lui une mer intérieure, une sorte de *Mare nostrum*. Sur le continent, toutefois, il se trouvait l'obligé du roi de France. La situation devenait lourde de conflits d'intérêt. L'année 1158 fit du Mont le théâtre de plusieurs rencontres politiques importantes. Le duché de Bretagne était alors dans une situation fort délicate, totalement enclavé dans les terres de l'Anglais. Or, en 1154, le jeune Conan IV, fils d'Alain le Noir, encore sous la tutelle de son oncle, Eudon de Porhoët, fut confirmé par Henri II dans sa qualité de comte de Richmond. À ce titre, il devait allégeance au roi d'Angleterre. Cela offrit un prétexte à de puissants seigneurs bretons pour se révolter. En 1156, Conan fut néanmoins proclamé duc de Bretagne, mais les Nantais se choisirent, comme comte, le frère cadet d'Henri II, Geoffroy Plantagenêt. On voit l'imbroglio. À la mort prématurée de ce dernier, en 1158, Conan crut pouvoir récupérer le comté de Nantes. Or, Henri II en avait décidé autrement. Conan ne put que reconnaître la souveraineté des Anglo-Normands sur le Nantais et se soumettre. Il le fit au Mont, en septembre. À cette occasion, le roi d'Angleterre donna à Robert les églises et le château de Pontorson. Voilà qui déplut, on s'en doute, à l'évêque d'Avranches, mais la cause était soutenue par l'archevêque de Rouen, ami de l'abbé. La donation se fit en présence du chancelier… Thomas Becket ! Deux mois plus tard, Henri revint au Mont, mais, cette fois, avec le roi Louis VII de France. Ils s'y réconcilièrent le 23 novembre et envisagèrent alors le mariage de Marguerite de France avec le futur Henri III d'Angleterre. Henri II revint au Mont en 1166 quand, à la mort de Conan IV, il prit possession, de fait, du duché de Bretagne en mariant son fils Geoffroy à Constance, l'héritière du défunt. Le sanctuaire michaélique était devenu un lieu stratégique pour les ducs de Normandie, rois d'Angleterre. Ils y affirmaient leur domination sur tout l'ouest du royaume de France. On comprend alors quel prix il représenta quand le rapport des forces s'inversa dans la région. En attendant, l'abbé sut tirer de cette situation des bénéfices substantiels pour l'abbaye.

On peut dire que sous cet abbatiat l'essentiel du temporel était acquis. Il se trouva d'ailleurs confirmé par une bulle d'Alexandre III du 27 janvier 1179[1], en ces termes :

« Alexandre, évêque, serviteur des serviteurs de Dieu, à mon bien-aimé fils Robert, abbé du Mont-Saint-Michel au Péril-de-la-Mer, et à ses frères qui nous sont chers, aussi bien ceux qui sont aujourd'hui présents que ceux qui, dans l'avenir, y professeront la vie régulière, pour toujours. Il convient que la subsistance de ceux qui ont choisi l'état religieux soit assurée, afin que personne n'ait la témérité d'attenter par la force à la sainte religion.

C'est pourquoi, fils bien-aimés dans le Seigneur, nous consentons à vos justes demandes, et prenons sous la protection du Bienheureux Pierre le monastère susdit de Saint-Michel-au-Péril-de-la-Mer, dans lequel vous résidez en toute propriété sous la protection de Dieu, et nous le certifions par le privilège de la présente lettre ; en premier lieu nous commandons que l'ordre monastique, qui, selon Dieu et la règle de saint Benoît, a été institué dans votre monastère, soit observé sans violation, à jamais. Ensuite toutes les possessions, tous les biens que le monastère possède en toute justice et selon les canons,

1. ROBERT DE TORIGNI 1873, *op. cit.*, t. 2, p. 313-321.

par la concession d'un pontife, la largesse des rois ou des princes, l'offrande des fidèles, ou par tout autres moyens légaux, le Seigneur souverain en soit témoin, cela pourra être acquis et rester en votre possession pleine et entière, ainsi qu'en celle de vos successeurs. Nous ordonnons qu'ils soient ici désignés par leur nom :

— le lieu sur lequel le présent monastère est sis, avec ses dépendances,

— le village de Saint-Michel avec ses églises, son accès, ses tribunaux, ses coutumes et ses dépendances,

— l'église d'Ardevon, de Huisnes, de Beauvoir, des Pas, de Curey avec les villages eux-mêmes et leurs dépendances,

— les villages de la Croix, de Villiers, de Balan, avec leurs dépendances,

— le bourg de Beuvron avec ses moulins et ses dépendances,

— l'église de Caugé et l'église de Boucey avec leurs dépendances,

— la terre limitrophe de la porte de Pont Urson et ses dépendances,

— l'église de Pontorson avec les dîmes de ses moulins et tous les revenus du château de la place,

— l'église de Genêts avec le village lui-même, le marché et leurs dépendances,

— l'église de Dragey avec le village, le moulin et les vignes et leurs dépendances,

— le village de Saint-Michel, et cent sols en monnaie angevine venant de l'église, par l'intermédiaire des chanoines de la Lucerne, sous forme d'une pension qui doit vous être versée,

— Bacilly avec ses dépendances,

— le moulin du Comte avec ses dépendances,

— l'église Saint-Michel-des-Loups avec le bourg, le moulin de la Haye, la forêt de Bevey, les pâtures avec leurs dépendances,

— ce à quoi vous avez droit sur l'église d'Argouges,

Dans le diocèse de Coutances,

— l'église de Saint-Pair, de Saint-Pancrace, de Saint-Albin, de Saint-Jean-des-Champs, de Bréville, de Cordeville, avec vingt-deux paroisses, des forêts, des pâturages, des moulins, le marché et leurs dépendances,

— la terre d'Estrée,

— l'église de Forcheville avec ses dépendances,

— le village de Sainte-Colombe avec ses dépendances,

— Eantot avec ses dépendances,

— l'église de Carteret avec ses dépendances,

— sur l'île de Jersey, Pierreville avec ses dépendances, l'église de la Chapelle avec ses dépendances,

— toute l'île de Chausey avec ses dépendances,

— l'île de Sarcq avec ses dépendances,

— sur l'île de Guernesey, l'église de Gouale avec ses dépendances et trois autres églises avec leurs dépendances, les moulins, les pêcheries, les ports et toutes leurs dépendances,

— le Melagium (?) du comte Ranulphe avec ses dépendances,

— la terre d'Hugon de Rozel avec ses dépendances,

Dans le diocèse de Bayeux,

— l'église de Domjean avec ses chapelles, ses libertés et ses autres dépendances,

— le village de Domjean avec ses moulins, les forêts et ses autres dépendances,

— l'église de Bretteville,

— l'église d'Evrecy et d'Esecy avec leurs libertés et autres dépendances,

— Bretteville avec ses moulins et autres dépendances,

— tous les droits que vous avez sur l'église de Saint-Michel-du-Marché, près de Rouen,

Dans le diocèse de Chartres,

— l'église de Gohay avec le village et ses dépendances,

— Poislay avec ses dépendances,

Dans le diocèse d'Angers,

— l'église de Créans avec ses vignes et ses autres dépendances,

— dans la ville d'Angers, une maison avec des vignes et leurs dépendances,

Dans la ville de Tours,

— une maison avec ses vignes et ses dépendances,

Dans le diocèse du Mans,

— l'église Saint-Victeur avec l'église Saint-Jean, leurs chapelles et leurs dépendances,

— le bourg de Saint-Victeur avec ses vignes, ses moulins, ses coutumes et ses autres dépendances,

— l'église d'Estival avec ses dépendances,

— l'église de Domfront avec ses dépendances,

— l'église de Livaré avec ses dépendances,

— l'église de Saint-Berthevin et la chapelle de Tannière avec leurs dépendances,

— la moitié du marché de Tannière avec le droit de pacage que vous avez dans la forêt de Gillon de Gorre,

— tous les droits que vous avez sur l'église Saint-Denis,

— Montenay avec ses dépendances,

— Villarenton avec ses moulins, ses forêts et ses dépendances,

Dans le diocèse de Rennes,

— l'église de Poilley,

— l'église de la Villamée, avec le village et ses dépendances,

Dans le diocèse de Dol,

— l'église Saint-Pierre de Saint-Broladre avec ses dépendances,

— la chapelle Saint-Michel du Mont-Dol,

Dans le diocèse de Saint-Malo,

— l'église de Saint-Méloir et celle de Saint-Méen (Cancale) avec les villages et leurs dépendances,

Dans le diocèse de Cornouaille,

— l'église d'Hyrlas avec le village de Treveruer et ses dépendances,

En Angleterre, dans le diocèse d'York,

— l'église de Wath avec le village et ses dépendances,

Dans le diocèse de Winchester,

— l'église de Seleburna, l'église de Basinges, l'église de Basingestoc avec leurs dépendances,

Dans le diocèse de Salisburry,

— l'église de Vertona avec ses dépendances,

Dans le diocèse de Bath,

— l'église de Mertos avec ses chapelles et ses dépendances,

Dans le diocèse d'Exeter,

— l'église d'Ottrinia, celle d'Estolleia, celle d'Hartecumba, celle de Sedemva, avec les villages, les moulins, les forêts, les marchés, les pêcheries et les autres dépendances.

— Brudeleia avec ses forêts, ses prés, son port, ses pêcheries et ses dépendances,

— l'église du Mont-Saint-Michel de Cornouaille avec le village de Treuvarmine, son marché et ses autres dépendances,

— l'église de Saint-Hilaire avec ses dépendances,

— Treurabot avec ses dépendances, et l'église de Moreis avec ses dépendances.

Personne ne peut exiger de vous des dîmes sur les terres en jachères ni sur celles que vous cultivez de vos propres mains, ni sur celles qui servent de pâtures à vos animaux. Bien que cela soit généralement interdit, qu'il vous soit permis de célébrer l'office divin portes closes, une fois exclus les excommuniés et les interdits, sans sonneries de cloches et à voix basse. Qu'il vous soit permis aussi de recevoir des clercs et des enfants enlevés au siècle pour devenir moines et de les garder sans qu'il y ait d'obstacle. Nous interdisons à qui que ce soit de vos frères, qui a fait profession dans ce lieu, de quitter ce même lieu, à moins qu'il ait obtenu une dispense de ses vœux ou la permission de son abbé ; mais celui qui part avec la caution de lettres de communion que personne n'aille le retenir. Dans les églises paroissiales que vous avez, que vous soit donné le droit de choisir les clercs et les prêtres, de les présenter à l'évêque ; s'ils sont aptes, celui-ci leur confiera le soin des âmes, en sorte qu'ils répondent auprès de lui de ce qui est du spirituel et auprès de vous du temporel.

À ta mort, toi qui es maintenant abbé de ce lieu, ou à celle de n'importe lequel de tes successeurs, que personne ne soit choisi frauduleusement ou par la force, mais que ce soit celui que l'ensemble des frères, ou la part la plus sage du conseil, selon la crainte de Dieu et la règle de saint Benoît, propose à l'élection.

Nous décrétons aussi le droit de libre sépulture en ce lieu, en sorte que personne ne s'oppose à la dévotion et aux dernières volontés de ceux qui ont choisi d'être enterrés là, à moins qu'ils ne soient excommuniés ou interdits, étant saufs cependant les droits des églises auxquelles les corps sont enlevés. En outre, nous interdisons, sous peine d'anathème, que personne ne s'autorise à frapper des pèlerins qui, sous prétexte de dévotion, viendraient à causer quelque dommage ou déprédation à votre monastère. Nous interdisons encore que qui que ce soit s'autorise à lever à votre détriment ou à celui de vos églises des taxes nouvelles et indues ou à promulguer des sentences d'excommunication et d'interdit sans raison manifeste. Nous décrétons donc qu'il n'est permis à personne de troubler à la légère ce monastère, d'emporter ce qui lui appartient, de garder ce qui a été emmené, ou de l'affaiblir ou de le tourmenter par quelque vexation que ce soit ; mais que soit intégralement préservé tout ce qu'il a reçu à administrer et tout ce qui lui a été accordé pour sa subsistance, qui lui sera utile à l'avenir, étant saufs l'autorité du siège apostolique et les droits des évêques diocésains, selon les canons.

Si, donc, à l'avenir, il se trouve un ecclésiastique ou un laïc qui, connaissant le contenu des dispositions que nous avons prises, tente de s'y opposer sans motifs valables, après deux ou trois sommations, s'il ne se corrige pas par une satisfaction suffisante, qu'il soit privé de la dignité de son pouvoir et de sa charge ; qu'il sache que sa faute demeurera devant le tribunal de Dieu à cause de l'injustice qu'il a causée, et que, par le corps et le sang très saints de notre Seigneur Dieu, Jésus-Christ notre Rédempteur, elle lui sera préjudiciable et qu'il sera sous le coup de la vengeance de Dieu au jugement dernier. Mais à tous ceux qui défendent les droits de ce même lieu, que soit accordée la paix de notre Seigneur Jésus-Christ, et qu'ils reçoivent ici-bas les fruits de leur bonne conduite et qu'auprès du juge suprême ils trouvent la récompense de la paix éternelle. Amen.

Moi, Alexandre, évêque de l'Église universelle, j'ai contresigné. » Suivent les signatures de quinze cardinaux et la date.

Cette bulle permet d'abord de se faire une idée de l'étendue du temporel et de sa diversité. La chancellerie pontificale ne connaissant pas dans le détail les biens nommés, la description précise des propriétés émanait de Robert lui-même et de son conseil. On peut tenir que ce qui fut soumis à approbation était conforme à la réalité, car cette bulle fut reçue sans contestation grave. On peut constater que les propriétés sont toutes situées dans la partie ouest de la France et dans le sud de l'Angleterre. Elles se répartissent en plusieurs îlots. Le premier, le plus dense, se situe autour de la baie. Les terres étaient très morcelées, mais elles formaient un ensemble assez conséquent. Les moines avaient donc la propriété pleine et entière du Rocher, village compris. La région limitrophe offrait un maillage serré de villages dans un rayon d'une vingtaine de kilomètres. L'abbaye montoise y était même souvent voisine d'autres propriétés abbatiales. Au nord de la baie, un autre noyau se dessine autour de Genêts, un autre autour de Saint-Pair et des îles Anglo-Normandes. Plus à l'ouest, dans le duché de Bretagne, qui avait tellement compté, ne reste plus qu'un ensemble assez disparate. On peut noter que l'acquisition du Mont-Dol était très récente. Ni la similitude de la topographie, ni le souvenir d'un sanctuaire antique dont la chapelle conservait une pierre caractéristique, percée de multiples trous, n'avaient eu un attrait particulier pour les moines. L'ensemble qui se trouvait entre Saint-

Méloir-des-Ondes et Cancale offrait certainement des intérêts économiques autrement intéressants. Plus à l'est, c'est autour du prieuré de Saint-Victeur, près du Mans, que se trouve l'essentiel des propriétés montoises. Celles-ci, comme dans la région d'Angers et de Tour, sont liées, au moins au départ, à la possibilité d'en tirer du vin de qualité. On se souvient de la donation de Maïeul, l'abbé de Marmoutier, à Mainard et de l'interdiction faite au cellérier de servir aux moines du vin de Genêts. Enfin, il faut mentionner l'ensemble d'outre-Manche qui s'organisa autour de Saint-Michel-de-Cornouaille et du prieuré d'Exeter dont il reste aujourd'hui encore des vestiges significatifs. La présence des moines montois était, pour les souverains anglo-normands, une garantie de paix puisque les religieux leur devaient tout. Cet ensemble de maisons anglaises resta très important dans la vie de l'abbaye-mère jusqu'à la guerre de Cent Ans. L'éloignement qui résulta du conflit, la disparition des ressources qu'ils fournissaient contribuèrent, pour une bonne part, au déclin de l'abbaye montoise.

À la tête du domaine, se trouvait le seigneur abbé. Il le détenait par la légitimité de son élection. C'est elle qui rendait possible le serment féodal puisqu'elle avait eu lieu après l'obtention d'une *licentia eligendi,* auprès de l'autorité ducale, puis royale. C'est le duc-roi qui concédait le domaine à son féal ; aussi pendant les périodes de vacance du siège, ou quand l'élection était contestée, le domaine se trouvait-il vulnérable.

Pour mieux gérer une réalité si étendue et si disparate, les abbés des XIe et XIIe siècles fondèrent des prieurés. Ils envoyaient un ou deux moines sous la direction d'un prieur « forain » s'occuper d'une partie du domaine. On distingue ces derniers, qui avaient une certaine délégation d'autorité réelle et étaient aptes à prendre quelques décisions, du prieur claustral. Dans les prieurés ainsi établis, on construisait des maisons où les frères pouvaient mener une vie régulière adaptée. Autour de la baie, en Ardevon, subsistent encore une partie imposante des bâtiments prioraux des XIVe et XVe siècles. Mais Genêts, Brion, Tombelaine, Saint-Broladre, le Mont-Dol, Saint-Méloir-des-Ondes avaient aussi leur établissement permanent. Saint-Victeur, près du Mans fut un établissement important, de même qu'Exeter et Saint-Michel-en-Cornouaille de l'autre côté de la Manche. Tant que les effectifs de l'abbaye furent en expansion, la multiplication de petits établissements permettait d'accueillir tous les candidats à la vie monastique et d'assurer une gestion efficace des biens du monastère. Mais le nombre de moines décroissant, ces maisons se révélèrent être une déperdition de forces et une source de dépenses insupportables. Il fallut en réduire le nombre dès le siècle suivant. Sur certaines propriétés, l'abbé pouvait encore établir des barons laïcs. Enfin, surtout à proximité du Rocher, des terres étaient mises en tenure ou en fermage à de petits exploitants. Tous, selon des modalités fixées avec beaucoup de soins, versaient à l'abbaye une somme convenue correspondant à la richesse de ce qu'ils avaient à exploiter. Les redevances, parfois en numéraire, étaient le plus souvent en nature : céréales, viande, cire, sel, fruits, bois, poissons, vin. Elles étaient réparties sur toute l'année et remises à des fêtes qui figurent dans les chartes. Le domaine abbatial était avant tout agricole. Il comprenait des terres exploitées et des jachères pour les troupeaux. Des forêts étendues fournissaient le bois pour la cuisine, le chauffage et la construction. On se souvient, à ce propos, d'un grave conflit, sous l'abbatiat de Roger II, avec le sieur Thomas de Saint-Jean qui avait fait main basse sur du bois de charpente. Les moines avaient, en outre, le monopole sur les moulins ; ce qui obligeait tous les paysans à payer des taxes multiples sur les céréales qui assuraient la base de la nourriture, et donc la subsistance de la plupart des gens[1]. Les religieux exerçaient aussi le droit de chasse, une activité qu'au demeurant ils pratiquaient

1. Voir LEGROS Jean-Luc, *op. cit.*, p. 169-170 « Le conte des paysans de Verson ».

volontiers. Leurs goûts aristocratiques trouvaient là de quoi se satisfaire.

Une particularité du domaine montois ne paraît pas directement dans la bulle du pape Alexandre III, c'est son caractère maritime. Même si, sur le Rocher, il n'y avait pas de port, juste des installations prévues pour débarquer des marchandises et des matériaux nécessaires à l'abbaye et au village, les moines en disposaient à Saint-Pair, à Genêts, à Cancale, et dans les îles. L'abbé percevait des droits sur la pêche, aussi bien hauturière que côtière, et même sur la pêche à pied. À quoi s'ajoutaient les pêcheries. En contrepartie, il assurait la protection de ceux qui pratiquaient cette activité. En 1175, par exemple, Robert garantit à Guillaume du Hommet la vente du poisson des pêcheurs de Saint-Germain-sur-Ay. À l'abbé était réservée la totalité des prises de certaines espèces : les poissons « royaux » comme le saumon, l'esturgeon, mais aussi les « baleines », en fait des phoques ou des marsouins, et autres poissons « à lard ». Il percevait, de plus, une dîme sur les huîtres déjà abondantes dans la baie. Les marais côtiers de Saint-Méloir et de Saint-Benoît, mais aussi ceux de Genêts permettaient d'exploiter des salines. La tangue et le varech fournissaient encore des engrais pour les cultures. Le droit de varech fut l'occasion de nombreux procès car il englobait, avec les algues, les fortunes de mer. Ainsi, tout ce que les flots rejetaient devait être gardé un an, après quoi la prise était acquise aux moines. Des cargaisons entières pouvaient ainsi se retrouver à la côte, ce qui ne fut pas sans susciter des convoitises, et même de la piraterie, comme ce marin qui tenta de détourner, depuis Guernesey, une cargaison de céréales qui avait été affrétée à Dinan et qui se retrouva échouée devant Genêts. Dans la baie, le littoral ne fut jamais très stable, aussi construisit-on, dès le XIe siècle, des digues de protection. Les villageois des environs étaient astreints à un certain nombre de jour de corvée pour les entretenir. On cherchait par là moins à favoriser les activités côtières qu'à assurer la stabilité du domaine agricole constamment attaqué par les marées. Jamais l'abbaye n'a misé véritablement sur l'exploitation de son domaine maritime. Jamais les abbés, Renouf excepté, à l'occasion de l'invasion de l'Angleterre par Guillaume le Conquérant, ne sont devenus armateurs. La mer était en quelque sorte un complément offrant un transfert plus aisé des matériaux, fournissant le sel indispensable, et quelques produits d'appoint.

Comme ecclésiastiques, les moines percevaient également des dîmes et différentes taxes réglées par la coutume. Ils avaient droit au douzième, environ, des récoltes faites sur leurs terres. À ceci s'ajoutaient les offrandes des pèlerins et celles qui étaient liées aux actes du culte célébrés dans les paroisses et les chapelles qui se trouvaient sur les terres abbatiales. En contrepartie, l'abbé était tenu d'attribuer les bénéfices qui relevaient de sa juridiction. Pour ce faire, il choisissait les clercs qu'il voulait installer comme desservants dans tel ou tel lieu de culte, les présentait à l'évêque pour qu'ils soient ordonnés et que leur soient conférés les pouvoirs sacramentels de baptiser, de marier, de confesser et d'enterrer en terre chrétienne. Ces prérogatives de l'abbé ne facilitaient pas les rapports avec les évêques diocésains concernés, ou avec leur chapitre, qui se sentaient ravalés au rôle de simples exécutants. La bulle montre, à cet égard, l'étendue des privilèges du monastère. Pouvoir célébrer l'office, portes closes, signifiait que l'abbé pouvait fermer sa porte à n'importe qui, sans enfreindre la loi commune. Certains prélats en firent les frais. Pouvoir enterrer librement ceux qui, de leur vivant, en avaient émis le désir permettait à l'abbaye d'accepter des fondations sans avoir de comptes à rendre à personne. En fait, si la bulle de 1179 n'exemptait pas formellement l'abbaye montoise de la tutelle épiscopale, elle rendait celle-ci pratiquement inopérante, pour l'instant du moins.

Par rapport à d'autres institutions analogues, l'établissement montois, même pendant sa période la plus faste, resta de taille moyenne. « Les biens de l'abbaye paraissent considérables et pourtant le domaine n'est que de dimension modeste si on le compare à celui des autres grandes abbayes normandes, aux effectifs beaucoup plus importants. »[1] Son prestige tenait surtout à la notoriété de son sanctuaire, à sa position stratégique, mais aussi à la grandeur de son abbé.

L'abbatiat de Robert dura trente-deux ans. Il fut le plus long de l'histoire montoise. Quand l'abbé mourut le 23 ou 24 juin 1183, il fut placé dans un caveau de pierre au pied de la tour sud de l'église. Il y repose encore discrètement aujourd'hui. Sur la pierre tombale, juste ces mots très simples : *Hic requiescit Robertus de Torigneo abbas hujus loci*. Ce fut un grand moine. À côté de lui, les moines placèrent Martin de Furmendi, son successeur, qui resta presque totalement dans l'ombre de Robert. Abbé pendant huit années, jusqu'en 1191, bon gestionnaire, il fait l'effet d'une figure de transition entre un monachisme toujours florissant, en symbiose avec l'institution féodale, et une réalité nouvelle qui va rapidement voir les exigences de la vie montoise se confronter aux besoins d'une société en mutation.

Le 12 mars 1192, la communauté élut l'un des siens, le moine Jourdain, avec l'aval du duc-roi Richard Cœur de Lion[2], alors en croisade. Pendant les premières années du nouvel abbé, le monastère continua sur sa lancée, mais, depuis la disparition de Robert, les effectifs diminuaient inexorablement. En 1199, le duc-roi mourut et laissa le royaume anglo-normand à son frère Jean sans Terre. Or, un de ses neveux, Arthur, était un prétendant sérieux à la couronne anglaise. C'était le fils de Geoffroy, qu'Henri II avait installé comme duc de Bretagne, et de sa femme Constance. Dans un premier temps, Philippe

1. LEGROS, Jean-Luc, 2005, *op. cit.*, p. 171.

2. Fils d'Henri II, il régna sur l'Angleterre et la Normandie de 1189 à 1199.

Auguste soutint Arthur contre Jean sans Terre. Malheureusement pour le Breton, le roi de France le lâcha pour se tourner vers l'oncle, Celui-ci emprisonna le jeune homme et le fit assassiner dans des conditions sordides en 1203. Il n'avait que seize ans. Sa mère avait épousé, en troisièmes noces, Guy de Thouars en 1199. Elle était morte en 1201 en donnant naissance à une fille. Après la disparition d'Arthur, Guy exerça le pouvoir ducal sur la Bretagne, comme régent de sa fille, Alix. Jean sans Terre sentait que sa position sur le continent se fragilisait, en particulier en Normandie sur laquelle Philippe avait des vues. C'est dans ce contexte qu'il confia la garde du Mont à un détachement de soldats normands, sous les ordres de Richard de Fontenay. Pour assurer l'entretien des troupes, il assigna à son capitaine une forte somme à prendre sur les revenus de l'abbaye. Il fit réaliser des travaux de fortification pour la défendre : des palissades de bois sur fondations de pierres. *Alea jacta est*. Voilà que le Mont entrait dans la tourmente d'un conflit qui marquerait profondément son histoire.

En 1204, en effet, alors que Philippe Auguste avait entrepris de conquérir les biens normands du duc-roi Jean, sous prétexte que ce dernier avait refusé de se présenter devant la justice de France, Guy de Thouars se porta à la rencontre de son suzerain. De Saint-Malo, il vint se poster devant le Mont. Pressé par la marée, il mit le feu au village, d'où l'incendie gagna l'abbaye et causa des dégâts importants dans les toitures. Très rapidement, l'abbé Jourdain assura les réparations indispensables, mais ces circonstances lui offraient l'occasion de mener à bien un projet d'envergure dans les bâtiments monastiques. Il consistait à achever, ou plutôt à continuer, le chantier ouvert sous Roger II et Bernard du Bec : construire l'étage – ou les deux étages ? – manquant au grand bâtiment du nord. Il fallut cependant attendre quelques années avant que les travaux ne débutent réellement. Même avec un don de Philippe Auguste, l'ampleur des réparations était telle que les finances de l'abbaye imposèrent des économies drastiques. La gestion rigoureuse qui fut imposée à tous créa d'autant plus de tensions entre les moines que l'abbé s'absorbait dans cette tâche au détriment, sinon des personnes, du moins de la vie communautaire.

En fait, le comportement plus séculier de l'abbé traduisait un changement majeur des mentalités. Les points de repaire qui assuraient la cohérence du système dont les moines étaient presque tous issus s'infléchissaient. L'individu commençait alors à prendre conscience de lui-même. Il ne lui suffisait plus d'être l'élément d'un ensemble. Il tendait à vouloir exister par lui-même et à s'émanciper par l'acquisition de nouveaux savoirs. Même les moines aspiraient à une vie personnelle plus affirmée. De nouveaux centres d'échange et de régulation des rapports sociaux se développaient : à côté des châteaux et des abbayes en milieu rural, les villes devenaient de plus en plus attirantes. La culture se déplaçait des monastères vers les collèges urbains, qui furent bientôt en passe de se rassembler pour former des universités. De nouveaux ordres religieux voyaient alors le jour dans ce milieu très dynamique. Sous l'impulsion de saint Dominique et de saint François, l'essor qu'avait connu, au siècle précédent, l'ordre monastique, trouva un nouveau terreau et une nouvelle expression. Il fallait instruire, par une prédication adaptée, une population plus cultivée et plus exigeante. Pour assurer une action pastorale permanente, il était nécessaire de se démarquer des conditions d'une vie proprement monastique et de s'installer dans les villes, tout en témoignant, par ailleurs, d'un radicalisme tout à fait évangélique par la pratique d'une pauvreté totale, non seulement individuelle, mais institutionnelle, chez les franciscains, et par une grande exigence de rigueur dans le travail intellectuel chez les dominicains et les chanoines réguliers. L'activité pastorale devint une des caractéristiques de cette nouvelle forme de vie religieuse. Elle allait à l'encontre du retrait du monde, jusqu'alors universellement pratiqué. Les cloîtres furent, sans aucun doute, fascinés par cette vie nouvelle qui incluait, à côté de la vie régulière, la prédication, les débats d'idées, les contacts avec des gens de l'extérieur, capables de donner de nouveaux élans à une réflexion qui avait besoin de l'altérité pour se développer.

Si la *lectio divina*, depuis longtemps pratiquée dans les monastères, était encore l'exercice théologique par excellence, comme l'atteste la présence dans le *scriptorium* de plusieurs volumes de gloses traditionnelles de l'Écriture[1], on trouvait, à côté des Pères et des grands commentateurs plus récents tels Bède le Vénérable et Raban Maur[2], des œuvres de théologiens contemporains : le *commentaire sur les Psaumes*, celui *sur le Cantique des cantiques* et celui *sur Paul* de Pierre Lombard[3], le *commentaire sur les Psaumes et sur Daniel* de Pierre le Chantre[4]. La *Summa de interpretationibus vocabularum Bibliae* de Guillaume le Breton[5], à côté des *Étymologies* d'Isidore de Séville, manifestait la volonté toujours vive d'affronter les difficultés du texte biblique et d'en faire une lecture exigeante.

Les débats théologiques du moment étaient eux aussi présents. La scolastique avait sa place dans le monastère, avec le *commentaire* que Pierre de Poitiers donnait des *Sentences* de Pierre Lombard[6], mais surtout avec l'école de Paris représentée par Abélard et son *Sic et Non*[7] et par de grandes œuvres d'Hugues de Saint-Victor telles que le *De sacramentis* et les *Historiae*. Un manuscrit[8] témoigne encore de ce que les moines apprenaient l'art, désor-

1. BMA, Ms. 4, 11, 20, 22, 24, 26.
2. BMA, Ms. 106, 112. Bède le Vénérable (672-735), Raban Maur (780-817).
3. BMA, Ms. 12, 13 et 31.
4. BMA, Ms. 15 et 17.
5. BMA, Ms. 34.
6. BMA, Ms. 36.
7. BMA, Ms. 12.
8. BMA, Ms. 230.

mais obligé, de la *disputatio*. C'est un recueil rédigé à la façon d'une *Somme* qui abordait, de façon assez brève, diverses questions – que ce soit sur la résurrection (est-ce un phénomène naturel ou un miracle ?) ou bien sur les dons du Saint-Esprit, la prédestination et bien d'autres sujets. On a l'impression d'avoir là un manuel de formation pour des étudiants.

L'étude de la théologie demandait alors, plus que précédemment encore, une solide maîtrise de la philosophie antique. On s'intéressait toujours à Aristote. On recopia à nouveau les *Analytiques*, les *Topiques*, *les Catégories*[1], l'*Interprétation*[2], les *Œuvres éthiques* et la *Physique*[3]. Mais à côté des traductions gréco-latines, comme c'était le cas au siècle précédent, on pouvait lire maintenant une traduction arabo-latine de la *Métaphysique*[4]. L'*Isagogè*[5] de Porphyre entra aussi dans la bibliothèque avec des commentaires de Macrobe[6] sur le *Timée* et la *République* de Platon.

D'autres secteurs de la pensée furent étoffés ; parmi eux : la médecine. On vit alors arriver Galien et ses *Éléments sur Hippocrate*[7], des traductions de traités arabes, faites par Constantin l'Africain[8] à la cour pontificale de Salerne, à peu près au moment où s'y trouvait aussi Robert de Tombelaine. Il s'agit du *Liber Pantageni*, sur les maladies de peau et du grand traité de psychiatrie intitulé le *Liber viatorum peregrinorum*. Ce dernier ouvrage propose des considérations sur les maladies du cerveau, l'apoplexie, la confusion mentale, le délire, l'épilepsie.

1. BMA, Ms. 227.
2. BMA, Ms. 228.
3. BMA, Ms. 230.
4. BMA, Ms. 220.
5. BMA, Ms. 227.
6. BMA, Ms. 226.
7. BMA, Ms. 226.
8. BMA, Ms. 233. Constantin l'Africain est aussi appelé Constantin de Carthage (vers 1010-1087).

Un domaine semble cependant avoir connu alors une certaine prédilection : celui des études juridiques. La redécouverte récente, du code Justinien à Bologne relança les recherches sur le droit romain. On recopia un commentaire de ce code[1] et on constitua plusieurs recueils de *décrétales*[2], dont le *décret de Gratien*[3]. À côté de ces traités savants, on recopia alors une œuvre de théologie populaire, le *Physiologus*, qui voyait dans les animaux réels ou fantastiques mentionnés dans la Bible autant de figures allégoriques du Christ et du Mystère de la Rédemption. Il ne fut certainement pas sans inspirer les concepteurs du programme iconographique du cloître.

Le scriptorium fournit encore plusieurs livres liturgiques, au premier rang desquels une Bible[4] illustrée, un missel[5], un évangéliaire[6] et un bréviaire[7], à l'usage de l'église montoise. Un recueil de notes de prédication[8] et les *sermons* d'Yves de Chartres[9] montrent le souci d'une liturgie plus pastorale au cours de laquelle on se préoccupait de l'instruction des fidèles. Un recueil de vie de saints témoigne d'un vieil usage monastique qui consistait à lire, au réfectoire ou au chapitre, la vie des saints ou l'histoire de la fête qu'on allait célébrer le lendemain. « On a l'impression, écrit Jean Leclerc, de se trouver en présence d'une bibliothèque vivante, en continuelle croissance, à la fois homogène, typiquement monastique, et ouverte aux mouvements de pensée contemporains. »[10]

1. BMA, Ms. 144.
2. BMA, Ms. 149, 150, 151, 152.
3. BMA, Ms. 148.
4. BMA, Ms. 1.
5. BMA, Ms. 42.
6. BMA, Ms. 44.
7. BMA, Ms. 39.
8. BMA, Ms. 28.
9. BMA, Ms. 116.
10. Dom LECLERCQ, Jean, *Une bibliothèque vivante*, in *Millénaire…*, *op. cit.*, t. 2, p. 248.

La culture des moines montois connut alors des mutations profondes qui ne furent pas sans conséquence sur la vie interne de la communauté. Certaines des valeurs qui fondaient la vie bénédictine devaient être redéfinies. L'affirmation de plus en plus prégnante de l'importance de l'individu et la nécessité, pour participer aux grands courants aussi bien culturels que spirituels du XIIIe siècle, de se rapprocher des grands centres urbains, des collèges de Paris en particulier, imposaient de repenser les conditions des deux principes fondamentaux de la vie bénédictine : l'exigence d'une vie communautaire intégrale et la stabilité dans le monastère. Dans les monastères d'Orient, une grande part de la vie se passait en cellule. La dimension érémitique de la vie monastique était ainsi privilégiée ; de ce fait, chaque moine gardait une certaine autonomie, ce qu'on appelle l'« idiorythmie ». Pour Benoît, qui craignait, sans doute par expérience, les dangers d'un affadissement de la vie spirituelle, l'anachorèse était une visée, mais elle devait avoir été précédée par une longue période de vie communautaire, autrement dit « cénobitique ». Toute la vie du moine bénédictin était réglée de façon à ce qu'il ne fût jamais seul, y compris la nuit. C'est Benoît qui, dans le monachisme, introduisit le dortoir. Si la vie solitaire était préservée, c'était par le silence continuel. Quand l'homme se pense essentiellement comme partie d'un tout et n'existe qu'en fonction du rôle qu'il y joue, on comprend que la vie en groupe soit ressentie comme profitable. En revanche, quand l'individu se manifeste comme tel, il a besoin de trouver des espaces d'intimité. On vit alors se développer dans le monastère des forces centrifuges qui amenèrent certains des principaux officiers à faire des moyens de leur charge des revenus personnels ; autour d'eux, de petits groupes se constituaient, des tensions s'exacerbaient. Les désirs d'indépendance plus grande semblent avoir été alors des tendances lourdes, et l'abbé lui-même donnait le ton, en vivant de plus en plus de son côté. Résultat, sous Jourdain, abbé de 1192 à 1212, il n'y avait plus qu'une trentaine de moines dans le monastère. La situation politique nouvelle, engendrée par le changement de suzeraineté sur la province normande, vint encore indirectement aggraver le mal-être des moines. Le pouvoir central se trouva plus lointain et moins investi dans le sanctuaire montois. Celui-ci cessa assez vite d'être un centre emblématique pour la dynastie régnante, comme il l'avait été avec les ducs normands jusqu'à Henri II. Bien sûr, les rois de France vinrent au Mont et saint Michel devint le patron du royaume, mais l'identité que le Mont s'était forgée en liant son histoire à celle du duché se perdit. Les rois avaient Saint-Denis. Le Mont prenait rang parmi les autres pèlerinages, même si ce fut encore, et pour longtemps, parmi les plus prestigieux. En bonne logique, le pouvoir local chercha à gagner du terrain. L'autorité épiscopale d'Avranches tenta d'imposer ses vues. L'évêque voulait exercer son droit de regard sur l'abbaye. Jusqu'alors, les abbés avaient été suffisamment puissants, ou protégés, pour que la maison restât à peu près intégralement autonome, *de facto*, par rapport à la juridiction épiscopale. Mais l'abbaye montoise n'étant pas « exempte »[1], elle ne pouvait se prévaloir d'en appeler directement à l'autorité romaine. Sous Jourdain, le malaise interne fut si grand qu'une partie de la communauté fit appel à l'évêque, car elle ne pouvait pas se résigner à la situation née de la conduite de l'abbé, et jugée insupportable. En 1208, au terme d'une visite canonique pendant laquelle il avait vérifié si les coutumes du monastère étaient bien en conformité avec la règle et si le temporel avait été correctement géré, l'évêque enjoignit l'abbé de rétablir l'ancienne discipline concernant la vie commune. Devant la fin de non-recevoir qu'opposa Jourdain au prélat, Rome finit par imposer une visite extraordinaire qui fut faite par deux cister-

1. Une abbaye exempte ne relève pas de l'autorité diocésaine. Elle dépend directement du Saint-Siège.

ciens et l'évêque de Coutances. Un compromis fut alors trouvé entre l'abbé et ses moines. Pour restaurer les conditions de la vie commune, le convent, réuni en chapitre, fut chargé d'exercer l'autorité dans le monastère ; même s'il gardait son rang et pouvait, à ce titre, recevoir librement les hôtes de marque – rois, ducs et autres grands personnages –, l'abbé était, de fait, assigné à résidence dans son logis. Il ne disposait plus des revenus du monastère ; il dut même libérer les biens qu'il avait hypothéqués. Il ne pouvait plus recevoir à la profession que les candidats présentés par le chapitre. De telles conditions parurent vite insupportables à l'abbé. À une vie en marge, Jourdain préféra la solitude de Tombelaine, où il mourut en 1212. C'est là qu'il fut inhumé.

Pour lui succéder, le chapitre choisit un moine montois, Raoul des Isles, qui connaissait la situation de l'intérieur. Il tenta de reprendre les choses en main avec douceur, sans heurter des sensibilités durement éprouvées, mais, rapidement, il se trouva pressé par l'archevêque de Rouen. Il devait tout faire pour que les effectifs de la communauté remontent au plus vite. En désespoir de cause, il se rendit à Paris où il recruta, parmi les nombreux étudiants de la ville, des candidats à la vie montoise. Ce voyage montre l'intérêt que percevait l'abbaye normande à se tourner vers le principal centre universitaire français d'alors. C'est là qu'étaient concentrées les forces vives et non plus dans les milieux traditionnels où recrutaient d'ordinaire les écoles monastiques. L'influence parisienne n'était d'ailleurs pas vraiment nouvelle : en témoigne, dès le siècle précédent, la présence non négligeable dans le scriptorium d'œuvres importantes de l'école victorine ou des courants de pensée qui lui étaient proches.

En dépit d'une situation assez précaire, Raoul entreprit, avec audace, non seulement d'achever des réparations nécessaires à la suite des dégâts causés par l'incendie de 1204, mais encore d'édifier tout ou partie de l'étage intermédiaire de la Merveille, ainsi que le troisième étage. Apprécier l'étendue exacte de son œuvre est extrêmement délicat, tant on a considéré le bâtiment du nord comme un projet conçu selon la cohérence qu'on aime y voir aujourd'hui et comme un tout qui aurait été élevé entièrement depuis le rocher jusqu'à son faîte, en deux tranches successives. Il semble pourtant que la mise en œuvre du chantier fut plus pragmatique. Ce sont les besoins de la vie communautaire qui commandèrent les travaux et finirent par produire l'ensemble que nous connaissons. Il est certain que l'usage de certaines pièces a changé. On ne peut concevoir, par exemple, que l'« Aumônerie » n'ait pas été directement accessible aux pèlerins, et donc à proximité de la porterie, comme l'était toujours l'Aquilon. Placée à l'étage inférieur de la partie est de la Merveille, cette salle ne put être affectée à ce service avant que l'entrée de l'abbaye ait été transportée dans son voisinage immédiat avec l'édification du Grand Degré, puis de Belle-Chaise. Ce que nous appelons la « Salle des Hôtes » était aussi inaccessible que la précédente. Or l'hôtellerie de Robert de Torigni, elle, était toujours sur le chemin qui menait à l'église. Il se pourrait bien qu'en réalité cette salle de l'étage intermédiaire ait été le réfectoire de la communauté avant la construction de l'étage supérieur. La « Salle des Chevaliers » montre, pour sa part, sur son mur ouest, les traces d'une construction antérieure, tant sur sa face interne que sur sa face externe. Qu'abritait alors cette pièce ? Le *scriptorium* ? ou encore le cloître ? On n'aura probablement jamais la réponse, mais la question vaut d'être posée. Il n'est pas concevable, en effet, qu'avant les constructions du XIIIe siècle le monastère se soit maintenu dans un ensemble de bâtiments très primitifs et trop restreints pour l'effectif des moines du siècle précédent. Il n'est pas pour autant question de supposer que ces deux salles avaient l'aspect qui est le leur aujourd'hui. Si elles constituaient alors l'étage supérieur du bâtiment, les voûtes que nous leur connaissons n'étaient pas une nécessité. Les traces de correction sur le mur est dans la Salle des Chevaliers pourraient aller dans ce sens. Les travaux, commencés en 1212, se prolongèrent durant tout l'abbatiat de Raoul. La date de leur achèvement est celle de la canonisation de François d'Assise dont la statue, sous le cloître, fut précisément environnée de l'inscription suivante : « *S. (anctus) Franciscus canonisatus fuit anno domini MCCXXVIII quo Clau(strum) istud perfectum fuit anno domini.* »[1] Le résultat fut un bâtiment double comportant trois étages. « Cette haute falaise gothique de cinquante mètres sur quatre-vingts mètres de longueur constitue une prouesse architecturale par son ancrage sur la pente et par la somme d'intelligence et de savoir qu'elle représente en ce début du XIIIe siècle. »[2]

La partie est fut terminée vers 1217. Elle comprend, de bas en haut, selon l'appellation actuelle des salles : l'Aumônerie, la Salle des Hôtes et le Réfectoire. Celle de l'ouest, plus tardive, comprend le Cellier, le Scriptorium et le Cloître. Cette tripartition de l'espace renvoie à celle de l'église, et, plus généralement, à celle de presque tous les autres bâtiments monastiques romans de l'abbaye. On l'a déjà relevé, mais ce fait nous semble suffisamment remarquable pour saisir que le projet du XIIIe siècle n'était pas une pure nouveauté. Il s'inscrivait dans une répartition verticale des lieux conventuels où se manifestait la charge symbolique qui s'inscrivait dans les murs depuis près de deux siècles. Le monastère était vécu comme une expansion complexe de l'église. L'organisation des pièces des deux premiers étages en sept travées rappelait, sans aucun doute, celle de la nef de l'abbatiale. Ainsi, l'ensemble des aménagements de la maison permettait aux divers besoins de la vie communautaire de s'exprimer et de se satisfaire dans un cadre qui maintenait le caractère éminemment liturgique de toute

1. « Saint François fut canonisé en l'an du Seigneur 1228, an du Seigneur au cours duquel ce cloître fut achevé. »
2. LEGROS 2005, *op. cit.*, p. 58.

la vie : qu'il s'agisse de se restaurer, d'étudier, de méditer, tout y était accompli comme l'œuvre de Dieu. Le troisième étage rompt avec la segmentation traditionnelle. Les architectes y ont préféré des espaces d'un seul tenant, sans rupture, spacieux et lumineux, comme s'ils voulaient affirmer, par leur création originale, la nécessité d'un vivre ensemble qui n'allait plus de soi. Le réfectoire, placé en contrebas de l'église, et parallèlement à cette dernière, faisait que la table la plus haute restait le maître-autel. Tous les repas prenaient leur source et tiraient leur sens de l'Eucharistie. C'était une pièce tout en longueur dans laquelle on pouvait dresser les tables le long des murs, à l'instar des stalles dans le chœur. Là aussi chacun occupait la place qui lui avait été donnée selon son rang d'entrée au monastère. La chaire du lecteur répondait à l'une des rares obligations de la règle qui ne souffre aucune dérogation : « La lecture ne manquera jamais à la table des frères. »[1] Nulle part ailleurs on ne ressent une sérénité semblable à celle qui se dégage ici. Elle est le résultat d'un trait de génie pour capter la lumière au travers d'une multitude d'étroites fenêtres lancéolées qui diffusent un jour suffisant, jamais agressif. Il y a quelques années, Gérard Guillier[2], avec plus d'emphase admirative que de rigueur dans les termes, mais avec beaucoup de pertinence, appelait le réfectoire : « la cathédrale à manger ».

Le cloître sur lequel il débouche manifeste, lui aussi, le principe d'unité que nous avons évoqué. L'alternance régulière de ses colonnettes rythme l'espace sans jamais le compartimenter. La légèreté de sa structure a été rendue possible par l'utilisation judicieuse des pierres de densité et de couleurs différentes : le granit, pour les murs extérieurs, l'inscrit dans l'ensemble de la construction et maintient devant les yeux les rigueurs ascétiques

1. *Reg.*, chap. 38.

2. GUILLIER, Gérard, *Nous avons bâti le Mont-Saint-Michel*, Éditions Ouest-France, Rennes, 1978.

du bâtiment ; le tuffeau qui forme le portique le singularise et lui donne une touche de chaleur et, pour tout dire, de féminité. La subtile beauté de ce lieu fut le résultat de la disposition géniale de ses colonnettes. Elles ont été placées en quinconce, non seulement pour éviter une trop grande pression sur les voûtes du scriptorium, mais aussi pour épouser, par leur écartement, la longueur du pas d'un homme. L'effet sur la déambulation est remarquable ; d'elle-même, la marche se ralentit et s'apaise. Cette architecture engendrait le silence et ramenait le moine à son intériorité. Au cœur de la vie conventuelle, c'était un lieu de dialogue de l'âme avec Dieu. Image du jardin de la Genèse restauré par la foi, annonce du paradis à venir, il était, pour l'orant, le jardin clos, à l'image de celui du Cantique des cantiques de Salomon où la jeune fiancée se livre tout entière à la recherche de celui qu'elle aime. Son bien-aimé est là, mais c'est dans la seule appréhension du désir et non dans la présence immédiate qui viendrait mettre fin au sublime de ses chants. Ainsi en va-t-il du moine, tout entier voué à la contemplation « pour arriver à voir dans son règne celui qui nous a appelés ».[1] La vitalité de ce jardin se manifeste par la présence d'une vigne qui porte fruit. Elle court presque tout autour des galeries et crée une unité visuelle qui renvoie à un discours cohérent dont le murmure se fait entendre dans le silence des pierres. Tout prenait sens dans cette figure végétale de l'Eucharistie qui rythmait la vie du moine. Elle fécondait et donnait sens aux représentations qui se superposent sur elle. Elle illustre le grand discours de Jésus après la Cène, selon l'Évangile de Jean : « Je suis la vigne, vous êtes les sarments : celui qui demeure en moi et en qui je demeure, celui-là portera du fruit en abondance car, en dehors de moi vous ne pouvez rien faire » (Jn 15, 5). Ce très long sermon faisait d'ailleurs l'objet de la méditation du moine après la célébration de la Cène du Jeudi saint.

1. *Reg.*, prologue, 22.

Il était lu, en effet, au cours de la paraliturgie qui se déroulait entre les célébrations des jours saints.

Le caractère liturgique du cloître fut fortement marqué par l'installation de la fontaine, qui devait servir ordinairement pour les ablutions des mains avant d'entrer au réfectoire. Les constructeurs ont voulu en faire un lieu de lavement des pieds, conformément à la même liturgie du Jeudi saint et à l'Évangile de Jean. L'abbé y lavait les pieds de douze moines, en finissant par le cellérier qui figurait Judas. C'était le rituel du *mandatum* qui mettait en scène la parole de Jésus : « Dès lors, si je vous ai lavé les pieds, moi le Maître et Seigneur, vous devez vous aussi vous laver les pieds les uns des autres » (Jn 13, 14). Ce rite était accompli non seulement le Jeudi saint, mais tout au long de l'année, après le chapitre des coulpes du samedi où chacun avait confessé, devant les frères, ses manquements à la règle. Le programme iconographique des écoinçons vient, lui aussi, illustrer, d'une manière originale et très élaborée, ce fonds liturgique. On peut dire que les décors forment une méditation du mystère pascal selon un parcours qui prend sens au sortir de l'église, à main droite.

Ainsi, dans la galerie sud, presque en face de l'entrée, un écoinçon montre la tête d'un lion[1] de laquelle naît et s'épanouit un réseau végétal. Des oiseaux s'y réfugient en nombre. Le lion était une figure vétéro-testamentaire ; celle de Juda, le jeune fils du Patriarche Jacob, l'ancêtre éponyme de la tribu de laquelle est issu David. Au moment de mourir, Jacob bénit ses fils, en disant : « Juda, c'est toi que tes frères célébreront. Ta main pèsera sur la nuque de tes ennemis, les fils de ton père se prosterneront devant toi. Tu es un lionceau, ô Juda, ô mon fils, tu es revenu du carnage ! Il a fléchi le genou et s'est couché comme un lion, et telle une lionne, qui le fera lever ? Le sceptre ne s'écartera pas de Juda, ni le

1. Elle a été très endommagée, comme beaucoup d'éléments de ce décor, par le temps et l'ardeur libertaire des révolutionnaires.

bâton de commandement d'entre ses pieds jusqu'à ce que vienne celui auquel il appartient et à qui les peuples doivent obéissance. Lui qui attache son âne à la vigne et au cep le petit de son ânesse, il a foulé son vêtement dans le vin et sa tunique dans le sang des grappes » (Gn 49, 9-12). Le *Physiologus*, comme toute la théologie chrétienne, a vu dans le lion, et dans ce personnage, la figure christique du Messie régnant, mais aussi souffrant. L'écoinçon montois complexifie celle-ci en surmontant l'animal d'un réseau de branches couvert d'oiseaux. Par là, il fait allusion à une prophétie d'Ézéchiel : « Ainsi parle le Seigneur : Moi, je prends à la pointe du cèdre altier, [...] un rameau tendre. Je le plante sur une montagne élevée d'Israël. Il portera des rameaux, produira du fruit, deviendra un cèdre magnifique. Toutes sortes d'oiseaux y demeureront, ils demeureront à l'ombre de ses branches » (Ez 17, 22-23)[1]. Non seulement la figuration sculpturale est conforme au texte, mais sa situation au sommet du rocher permettait de suggérer que ce cloître rendait actuelle la prophétie. Un texte d'Isaïe semble aussi à l'arrière-plan de notre écoinçon : « Un rameau sortira de la souche de Jessé, un rejeton jaillira de ses racines » (Is 11, 1). On sait qu'au XIIIe siècle se généralisèrent des représentations de l'arbre de Jessé. Il n'est donc pas hors de propos d'en voir une ici. Si on lie les figurations, animale et végétale, on s'aperçoit que l'écoinçon représente, à lui seul, l'Ancien Testament, tel qu'il est évoqué dans les Évangiles : le lion représentant Juda renvoie à la Loi, l'arbre, aux prophètes.

Juste avant la représentation de la Vierge à l'Enfant qui fait suite à quatre écoinçons de là, se trouve un « aigle aux ailes déployées et dont les pattes sont garnies de fortes serres »[2]. Il se pourrait que nous ayons là une clé d'inter-

1. Cette parabole du cèdre est reprise au chapitre 31 du même livre et en Daniel 4.

2. DÉCENEUX, Marc, *Mont-Saint-Michel. Histoire d'un mythe*, Éditions Ouest-France, Rennes, 1997, p. 199.

prétation du programme théologique figurant ici. L'aigle est la représentation traditionnelle de saint Jean et nous avons déjà relevé plusieurs allusions à l'œuvre de l'évangéliste. Cette petite sculpture serait alors un signe indiquant que les représentations du cloître suivent l'œuvre johannique : Évangile et Apocalypse. Nous sommes ainsi conduits à voir la représentation de la Vierge qui porte l'Enfant et l'offre à la contemplation du croyant comme une icône de l'Incarnation, selon le prologue de l'Évangile selon Jean : « Et le Verbe s'est fait chair, et il a habité parmi nous » (Jn 1, 14). La Vierge était encadrée de deux anges thuriféraires et surmontée d'un triple dais qui symbolisent la Jérusalem céleste de l'Apocalypse. Nous retrouverons ces mêmes éléments dans l'écoinçon de l'agneau mystique. Ces deux scènes représentent l'alpha et l'oméga du discours qui va se déployer maintenant. La triple inscription MAG ROGER, DÂS GARIN, MAG JOHAN ne manque pas d'interroger. On l'interprète souvent comme un hommage aux concepteurs ou aux sculpteurs de ce programme iconographique ; peut-être était-ce pour eux une manière de faire acte de piété et d'offrir leur œuvre à Notre-Dame, à la manière du copiste Gelduin qui offrit les *Recognitiones* de Clément à saint Michel[1] en se mettant en scène. Le titre de MAG, *Magister*, incline à faire penser que Roger et Johan étaient des moines, celui de DÂS pourrait signifier *Dominus abbas*. Le premier correspond en effet à un grade universitaire canonique. Est proclamé *Magister*, celui qui a soutenu l'épreuve terminale des études de théologie pendant laquelle il devait défendre un certain nombre de thèses. Le lauréat se voyait habilité à enseigner la théologie. *Dominus abbas* Garin pourrait avoir été le supérieur d'un monastère. Ils ne sont pas connus comme moines du Mont, mais ils pouvaient appartenir

1. BMA, Ms. 50, folio 1. Cf. DOSDAT, Monique, *L'enluminure romane au Mont-Saint-Michel, X*e*-XII*e* siècle*, Éditions Ouest-France, Rennes, 2006, p. 34.

à une autre maison et avoir été appelés comme iconographes pour concevoir et réaliser le programme théologique qui s'offre à nous. Face au lavabo du *mandatum*, un peu après la Vierge à l'Enfant, on voit une représentation de palmes qui rappelle, pour sa part, le récit et la liturgie des Rameaux.

La galerie est, quant à elle, s'ouvre sur une représentation végétale supportée par une tête de singe. Comme dans la galerie précédente, ce sont les représentations christiques qui lui donnent sens. On a en effet, sur ce côté du cloître, une représentation de la croix. Nous sommes toujours dans le contexte de la Passion. Une figure grimaçante pourrait représenter le diable à l'œuvre : « Jésus prit la bouchée qu'il avait trempée et il la donna à Judas Iscariote, fils de Simon. C'est à ce moment, alors qu'il lui avait offert cette bouchée, que Satan entra en Judas. Jésus lui dit alors : "Ce que tu as à faire, fais-le vite" » (Jn 13, 26-27). La figure animale suivante, qu'elle soit un chien, ou un cochon, irait dans le même sens et constituerait un avertissement pour les moines. Elle ferait allusion, non plus à saint Jean, mais à la seconde lettre de Pierre qui affirme : « Si ceux qui se sont arrachés aux souillures du monde par la connaissance de notre Seigneur et Sauveur Jésus-Christ se laissent à nouveau entortiller et dominer par elles, leur situation devient finalement pire que celle du début [...] Il leur est arrivé ce que dit à juste titre le proverbe : Le chien est retourné à son vomissement, et la truie, à peine lavée, se vautre dans le bourbier » (II P 2, 20 et 22). Cette mise en garde avertissait le moine de la gravité du chemin qu'il suivait mystiquement. Il arrivait en effet au cœur de la théologie du Vendredi saint devant le petit vigneron célèbre qui coupe les grappes. C'est Dieu qui accomplit ici la vendange définitive, selon Jean 15, 1 : « Je suis la vraie vigne et mon père est le vigneron. » La prophétie faite à Juda survient, mais aussi la vision contenue dans l'Apocalyse : « Et l'ange jeta sa faucille sur la terre, il vendangea la vigne de la terre et jeta la vendange dans la grande cuve de la colère de Dieu » (Ap 14, 19). On objectera qu'ici le vigneron n'a ni les traits d'un ange, ni celle de Dieu père, irreprésentable. Mais quand Dieu lui-même est montré agissant, la tradition iconographique occidentale donne souvent à l'actant les traits du Christ. Elle est en cela en conformité avec la lettre aux Colossiens (1, 15-16) : « Il est l'image du Dieu invisible, premier-né de toute créature, car en lui tout a été fait, dans les cieux et sur la terre, les êtres visibles comme les invisibles. [...] Tout est créé par lui et pour lui. » Il n'est donc pas surprenant que le vendangeur soit figuré sous les traits du vendangé. Y a-t-il allusion ici à l'alliance noachique ? Ce serait, en tout état de cause, un thème secondaire. Toutes les alliances qui précèdent la Nouvelle se trouvent récapitulées dans le mystère pascal représenté ici. Un écho de certaines préoccupations théologiques du XIIIe siècle semblent cependant présentes. Un *motet* contemporain de la construction du cloître connaît le même vigneron. Dans le chant, comme dans le cloître, il apparaît après la mention de l'Incarnation du Verbe :

« L'Esprit de Dieu a répandu la pluie sur la Vierge
Un nouveau vigneron s'est vu confier la vigne [...]
La lettre ne comprend pas, mais est indifférente et stupide devant
Le Dieu homme, et la Vierge parce qu'elle a accouché. »[1]

Ce petit texte assimile le Christ au nouveau vigneron, mais il s'en sert comme argument à charge en direction de ceux qui s'en tiennent à la lettre de l'Ancien Testament. C'est la Synagogue qui est visée car elle ne peut comprendre que, par le Christ, les figures bibliques ont totalement changé de sens. C'est au XIIIe siècle que s'exaspéra à nouveau l'accusation qui rendait les juifs responsables de la mort du Christ. Nulle nouveauté à cela car ils étaient depuis longtemps stigmatisés comme

1. *Excitatur caritas*, in *Vox Sonora*, Conduits de l'École de Notre-Dame de Paris (XIIe et XIIIe siècles), ensemble Diabolus in musica, 1978.

« perfides »[1], autrement dit « sans foi », dans la liturgie du Vendredi saint, qui précisément sert d'appui à la méditation du moine.

Vient ensuite, logiquement, dans l'écoinçon suivant, une représentation du crucifié. C'est dans la mort de Jésus que s'opère, en totalité, la vendange de l'humanité entière. La figuration, au-dessus des bras de la croix, du soleil et de la lune nous ramène, de nouveau, au texte de saint Jean : « Le Verbe était la vraie lumière qui, venant dans le monde, illumine tout homme. Il était dans le monde, et le monde fut par lui, et le monde ne l'a pas reconnu » (Jn 1, 9-10). Au moment où Jésus meurt, la lumière et les ténèbres s'affrontent en un combat mis en scène ici et dans la liturgie lors de l'office des ténèbres, quand le grand chandelier triangulaire, placé au milieu du chœur de l'église, est peu à peu éteint au fil des psaumes. L'église plonge dans la nuit. S'ouvre alors la longue attente de l'accomplissement final dans la Jérusalem céleste. C'est ce que développe la galerie nord.

Au centre, une image unique surprend. Là où le contemplatif attendrait une figure christique comme sur les autres côté du cloître, apparaît son contraire : un basilic inquiétant qui s'apprête à arracher, sinon à dévorer, un des fruits de la vigne. Saint Augustin, dans son commentaire sur les Psaumes, établit un parallèle entre cet animal fantastique et le diable : « Le basilic est le roi des serpents, comme le diable, le roi des démons. »[2] Une telle représentation nous renvoie au second récit de la Création, dans la Genèse, quand l'homme, au jardin d'Éden, est mis à l'épreuve du fruit de l'arbre de la

1. On sait comment cette position fera le lit de l'antisémitisme des siècles à venir. Il faudra attendre la réforme de 1961, conduite par Jean XXIII, pour voir effacé du missel cette épithète infamante. Les positions de Benoît XVI sur l'usage de l'ancien missel réactivent aujourd'hui le malaise.

2. SAINT AUGUSTIN, *Ennarationes in psalmos*, Ps 90, II, 9 (v. 13), 47, Migne, 1852, pl. 36.

connaissance du bien et du mal[1]. À nouveau ici, un fruit est tendu, mais c'est le fruit de la vigne qui, un instant, reste prisonnier des forces des enfers. Sera-t-il dévoré, englouti définitivement dans la mort ? Il se joue, dans le silence de la liturgie du Samedi saint, seul jour de l'année où l'église reste vide, comme une suspension du temps, comme un combat assourdissant dans la tranquillité du cloître. Le dragon représenté ici renvoie le contemplatif non seulement vers le commencement des temps, mais aussi vers la fin de l'histoire, vers le drame de la Parousie, mis en scène dans l'Apocalypse : « Le dragon se posta devant la femme qui allait enfanter, afin de dévorer l'enfant dès sa naissance » (Ap 12, 4). Mais, grâce à Michel et ses anges, « il fut précipité, le grand dragon, l'antique serpent, celui qu'on nomme Diable et Satan, le séducteur du monde entier » (Ap 12, 9). C'est une manière subtile, et discrète, de convoquer saint Michel. Le choix de la galerie nord est par lui-même significatif. C'est le seul côté du cloître à n'être jamais vraiment éclairé. L'atmosphère froide et ténébreuse qui s'en dégage fait partie de l'interrogation et de la mise à l'épreuve de la foi du mystique. Ici résonne l'avertissement de Paul : « Si Christ n'est pas ressuscité, votre foi est illusoire, vous êtes encore dans vos péchés » (I Co. 15, 17). Mais c'est du coin le plus sombre, image de la liturgie nocturne de la nuit pascale, que vient la lumière. Elle est représentée par l'avant-dernier écoinçon de cette même galerie. Il semble avoir été mis là, comme rejeté dans un coin, pour surprendre, alors qu'il représente l'Agneau offert en sacrifice, sous le dais de la Jérusalem céleste, encensé par les anges : « Le trône de Dieu et de l'Agneau sera dans la cité et ses serviteurs lui rendront un culte » (Ap 22, 3). La première lettre de Pierre, pour sa part, cite le psaume 118 : « À vous les croyants l'honneur ; mais pour les incrédules la pierre qu'ont rejetée les bâtisseurs est devenue la pierre de l'angle » (I P 2, 7). Au-dessus de l'Agneau, dans la frise, est représentée une

1. Gn 3.

sauterelle couronnée. Dans l'Apocalypse, ces animaux imaginaires font partie des fléaux déclenchés par les sonneries de trompettes que font entendre les anges et qui donnent le signal du combat eschatologique. Elles représentent la destruction et la mort pour les hommes : « Les sauterelles avaient l'aspect de chevaux équipés pour le combat, sur leurs têtes on eût dit des couronnes d'or, et leur visage étaient comme des visages humains » (Ap 9, 7). Le moine, dans son parcours mystique était parvenu à son dernier combat. Il se trouvait sur un seuil à franchir. La galerie ouest le mènera-t-elle dans la Jérusalem céleste où il verra Dieu face à face ?

Ce sont quatre figures, aujourd'hui identiques, qui s'offrent d'abord à l'orant. Quatre figures quelque peu énigmatiques : à cause de leur couronne, on a parfois évoqué la figure des rois de Juda ; mais pourquoi quatre ? Le contexte apocalyptique de cette partie du cloître amène plutôt à penser qu'on a voulu faire paraître ici les quatre « Vivants » dont parle le voyant de l'Apocalypse. Le trône de Dieu est entouré de quatre animaux : « Au milieu du trône et l'entourant, quatre animaux couverts d'yeux par-devant et par-derrière. Le premier animal ressemblait à un lion, le deuxième à un jeune taureau, le troisième avait comme une face humaine, le quatrième semblait un aigle en plein vol » (Ap 4, 6-7). Jean reprend ici la vision inaugurale du livre d'Ézéchiel, en la simplifiant. Le Prophète y contemple, dans les cieux ouverts, le trône entouré par les chérubins. « Je regardai : en son milieu, la ressemblance de quatre êtres vivants ; tel était leur aspect : ils ressemblaient à des hommes. [...] Leurs visages ressemblaient à un visage d'homme ; tous les quatre avaient à droite une face de lion, à gauche une face de taureau, et tous les quatre avait une face d'aigle » (Ez 1, 5, 10). Les quatre têtes du cloître sont certainement la représentation de ces figures extraordinaires. À la suite de saint Irénée[1], la tradition y a vu le

1. Irénée fut évêque de Lyon de 177 jusqu'à sa mort en 202.

symbole des évangélistes. Les concepteurs indiquaient par là au contemplatif qu'il entrait dans la pleine révélation du mystère dont il avait jusqu'ici suivi le déploiement dans l'histoire. Cette galerie est, en effet, un équivalent très élaboré des grands portails qui s'ouvraient sur la façade de nombreuses églises romanes ou même gothiques. On y voit le Christ en gloire ; désormais il trône ; mais ici c'est sans oublier le crucifié représenté juste à côté. Le théologien du cloître exprimait qu'en Christ la divinité n'efface d'aucune manière l'humanité. Conformément au concile de Chalcédoine[1], le moine devait tenir deux affirmations, de soi contradictoires : Christ est homme et Dieu, sans séparation ni mélange. Ainsi, les frises montoises exposent, à leur manière, l'essentiel du *Credo*. Elles illustrent le mystère de foi qui fonde la conviction chrétienne : en Christ, Dieu s'est incarné et a racheté toute l'humanité. Le moine contemplait ici-bas le ciel ouvert où déjà siègent les élus, représentés sous les traits de deux rachetés, de part et d'autre du Christ. La statue du côté nord nous est connue par un dessin réalisé en 1704 ; c'est une des plus anciennes représentations de François d'Assise. Elle est contemporaine de celle qui est dans le monastère, lui aussi bénédictin, de Subiaco. François, il est vrai, fut directement lié à Subiaco puisque c'est de son abbé qu'il obtint, après l'approbation de son ordre par le pape en 1209, l'usage de la chapelle Sainte-Marie-des-Anges à Assise. Cette église appartenait jusqu'alors à l'ordre monastique. Les bénédictins furent certainement impressionnés par le radicalisme des premiers disciples de François. Il leur rappelait celui de saint Benoît et de ses compagnons. Au Mont, le retentissement de la canonisation de François fut rapide. Il devait y représenter l'espoir d'un renouveau évangélique espéré dans une institution qui cherchait un nouveau souffle. À gauche du

1. Le concile de Chalcédoine se réunit en 451. Ce fut le quatrième concile œcuménique.

crucifix, se trouve un évêque. Ses ornements ne font aucun doute sur sa qualité, même si on a du mal à l'identifier. On a proposé saint Benoît ; c'était oublier que Benoît n'était pas prêtre. Ce pourrait être saint Aubert ; il serait cependant étonnant que les moines, alors en froid avec l'évêque d'Avranches, aient eu l'idée de représenter son prédécesseur sans le particulariser de telle façon qu'il soit reconnu sans ambigüité. Il est possible de penser à saint Augustin, tant il était présent dans le quotidien des moines par ses commentaires, ses sermons sur l'Écriture et ses grands traités théologiques. Une autre hypothèse peut encore être avancée. Si saint François est lié à Subiaco, un évêque l'est au mont Cassin. Saint Benoît, en effet, dédia la première église de sa nouvelle fondation à celui qui avait inauguré le monachisme en Gaule : saint Martin. Il y aurait alors une singulière symétrie dans la représentation des élus. C'est tout le monachisme de l'Occident qui est représenté depuis ses origines martiniennes jusqu'à son accomplissement le plus récent dans la vie franciscaine, laquelle, à ses débuts, ne se distinguait pas encore formellement de la vie strictement monastique. Un tel tableau était, pour le moine, la figuration de l'objet de sa quête : l'entrée dans le cortège des élus auprès du Christ désormais dans sa gloire. Après le combat silencieux du Samedi saint, représenté dans la galerie nord, c'est la victoire de Pâques qui apparaît ici, la victoire définitive de la lumière du Ressuscité sur les ténèbres de la mort. Il n'est donc pas surprenant que cette représentation ait été placée face à l'ouest. La vraie lumière est maintenant celle de Dieu : « La cité n'a besoin ni du soleil ni de la lune pour l'éclairer car la gloire de Dieu l'illumine et son flambeau, c'est l'agneau » (Ap 21, 23). À partir de là, seuls quelques animaux de nuit sont présents dans les modillons de la frise : une chouette, deux chauve-souris. Ces deux dernières semblent particulièrement agressives. On les dirait prêtes à attaquer le contemplatif. Peut-être figurent-elles le doute, les interrogations qui assaillent le mystique tout au long de son combat intérieur. La chouette, quant à elle, semble, par la fixité de ses grands yeux, communier, dans les ténèbres d'ici-bas, à quelque chose qui la dépasse. Elle a le regard déjà tout entier tourné dans la contemplation de l'au-delà. Le cloître semble maintenant vouloir faire silence. La déambulation dans l'angle sud-ouest est comme un temps de reprise, d'intériorisation de ce long chemin spirituel qui demande la vie entière pour être parcouru jusqu'au bout. On le voit maintenant, le cloître et le réfectoire traduisent une recherche d'unité : dans celui-ci, les concepteurs entendaient signifier celle de la communauté rassemblée, dans celui-là, c'est l'unité intérieure du *monachos* qui est recherchée dans la déambulation sans fin, au fil des méditations quotidiennes.

On a beaucoup insisté, depuis quelques années, sur la symbolique que manifeste l'ensemble de cette construction. Si l'on admet que les différentes pièces ont toujours été conçues pour l'usage qu'on leur prête depuis le XIXe siècle, alors les moines ont inscrit, de fait, dans l'espace qu'ils construisaient, l'image qu'ils se faisaient d'eux-mêmes et de la société dans laquelle ils vivaient. À l'est, nous aurions trois salles à manger hiérarchiquement ordonnées, l'une pour ceux qui travaillent, une autre pour ceux qui gouvernent, la plus élevée pour ceux qui prient. On retrouverait projetée ici la tripartition de la société médiévale, et en deçà, celle des sociétés indo-européennes[1]. À l'ouest, la superposition des trois étages reprendrait, elle, les catégories traditionnelles de l'anthropologie aristotélicienne : de fait, le cellier renvoie au corps, le scriptorium à l'esprit, le cloître à l'âme. Pour séduisante qu'elle soit, cette lecture n'a été rendue possible qu'à partir du moment où la réorganisation des lieux monastiques s'imposa à la suite du déplacement, à l'est, de l'entrée de l'abbaye. Ce sera l'œuvre de la génération suivante.

1. DUMÉZIL, Georges, *Mythe et épopée*, Gallimard, 1973.

Raoul des Isles ne put voir son œuvre totalement achevée. Il fut frappé, en effet, d'une maladie qui entravait sa mobilité et ne put donc rester au Mont jusqu'au bout. Contraint à la démission juste avant la fin des travaux du cloître, il s'installa à Ardevon ; le prieur claustral, Thomas des Chambres, ne lui succéda que quelques mois : élu abbé le 14 avril 1229, il mourut le 5 juillet suivant. L'abbatiat de son successeur, Raoul de Villedieu, fut assez affligeant. Sur les huit années qu'il passa à la tête de l'abbaye, il en consacra cinq à un conflit interminable avec l'évêque d'Avranches. En 1237, enfin, le convent se choisit un homme d'envergure : Richard Turstin. Il resta sur le siège abbatial vingt-sept ans durant, jusqu'en 1264. Ce fut un réformateur persévérant, voire entêté. Il rétablit une clôture stricte, veilla à ce que les frères ne gardent pas de biens propres pour leur usage personnel et à ce qu'ils rendent régulièrement des comptes. Parce que ses tentatives de réformes heurtaient des intérêts puissants, une partie des moines, soutenus par l'évêque voisin, porta plainte en cour de Rome. L'abbé fut déclaré *suspens a divinis*, pendant un an, en 1238 ou 1239. Il dut alors occuper la dernière place au chœur et au réfectoire, accepter en outre que le conseil des anciens et le chapitre aient un droit de regard sur ses décisions. Une négociation longue aboutit à la mise par écrit d'usages qui réglaient un grand nombre de questions de la vie quotidienne du monastère. Ils furent adoptés en 1258. Ils laissaient la part belle aux coutumes montoises sans ignorer pour autant les statuts élaborés à Rouen, par une assemblée des abbés normands, sous l'égide de l'archevêque métropolitain. Ils auraient dû, depuis quelques années déjà, s'appliquer au Mont comme à toutes les abbayes normandes. Mais on sait l'attachement viscéral des moines montois à leur particularisme !

En 1255, en tout cas, l'abbé semble être rentré en grâce auprès de la cour pontificale car il obtint du pape Alexandre IV le droit de revêtir les ornements des évêques, pour présider les célébrations dans son monastère. Il fut le premier à obtenir ce privilège. On l'a souvent mal compris, allant jusqu'à le réduire à une lubie d'abbé vaniteux qui avait le goût du faste. C'est ce que, parmi bien d'autres, ne manqua pas de faire dom Thomas Le Roy. L'enjeu est probablement beaucoup plus important. Jusqu'alors, le signe de l'autorité abbatiale était le bâton pastoral, qui avait eu d'abord la forme d'un *tau* majuscule « T », puis celle d'une crosse. Dorénavant l'abbé pouvait user non seulement de celle-ci mais aussi de la mitre et de l'anneau parce qu'on lui avait accordé le privilège de conférer à ses moines les ordres mineurs et de donner la bénédiction épiscopale. Dans un contexte tendu entre l'institution monastique et l'évêque, cela apparut comme un risque d'empiétement dangereux sur les prérogatives du siège d'Avranches. De concession en concession n'accorderait-on pas des pouvoirs encore plus importants à l'abbé ? N'allait-on pas vers une exemption pure et simple de l'abbaye qui s'affranchirait ainsi de la tutelle avranchine ? Ces questions pouvaient légitimement se poser, car l'année suivante, en 1256, l'abbé Richard recevait, sans que l'évêque fût concerné en quoi que ce soit, un pèlerin illustre : le roi Louis IX. Il était rentré deux ans auparavant, auréolé de sa participation à la septième croisade[1]. Sa venue au Mont avait, d'abord et avant tout, un motif religieux, mais elle ne fut pas dénuée de connotations politiques. Louis IX était, en effet, le premier souverain français à venir au Mont depuis le rattachement du duché normand à la couronne de France, au début du siècle. C'était une manière de montrer aux Plantagenêts, dont on savait l'attachement ancestral au sanctuaire de saint Michel, qu'une page était définitivement tournée. Désormais le haut lieu était celui du roi de France. On comprend que l'évêque d'Avranches ait cherché à remettre l'abbé à son rang, par tous les moyens en son pouvoir.

1. 1248-1254.

Avec l'abbé Richard Turstin, les travaux continuèrent. Il réorganisa, en particulier, l'entrée de l'abbaye, à l'est. Il éleva, pour cela, un bâtiment à deux étages. Un vaste « rez-de-chaussée » voûté d'ogive constitua la nouvelle porterie ; elle s'ouvrait par le grand porche toujours visible aujourd'hui derrière le châtelet. Pour arriver là, les pèlerins avaient gravi les premières volées de marches d'un escalier monumental qui leur permettrait désormais de gagner l'église en la contournant par le sud. Ce nouvel axe de circulation changea grandement les habitudes des moines. L'hôtellerie de Robert de Torigni devenait difficilement accessible. Il fallut donc transférer les services d'accueil des pèlerins dans le grand bâtiment nord, la Merveille : la salle du rez-de-chaussée fut affectée à l'aumônier et celle du dessus à l'hôtelier, pour recevoir les personnalités. On dota cet étage d'un accès direct et d'une chapelle, Sainte-Madeleine. Richard, au-dessus de la nouvelle entrée, bâtit encore une salle majestueuse qui, selon la coutume déjà en vigueur au temps de Robert, était destinée à abriter la nouvelle officialité. Elle recevra, sous l'abbatiat de Pierre le Roy, le nom de « Belle-Chaise ».

Pour pouvoir faire ces travaux importants, il avait été nécessaire de transférer le cimetière. Il restait de la place au nord où devait prendre place un troisième bâtiment qui aurait parachevé la Merveille. C'est là que furent installés les restes des moines défunts. Ils y reposent toujours en compagnie des prisonniers, leurs lointains successeurs en ces lieux. L'abandon de la troisième tranche de la Merveille en fut peut-être la conséquence. Il entraîna l'absence définitive d'une salle de chapitre digne de ce nom. Elle avait été envisagée dans le projet précédent : la triple baie dans le cloître, qui s'ouvre aujourd'hui sur la mer, est caractéristique à cet égard. C'était une pièce importante pour l'abbaye, car c'est là que devait se réunir, chaque jour, la communauté pour entendre un chapitre de la règle de saint Benoît, les coutumes du monastère et le martyrologe qui rappelait le nom des défunts de la communauté et de ceux qui s'étaient recommandés à ses suffrages. L'abbé y donnait toutes sortes d'instructions, depuis l'organisation du travail jusqu'à des conférences spirituelles. Il devait y prendre, désormais, l'avis des moines avant les décisions importantes. Tous les courriers que l'abbé voulait envoyer à Rome, concernant le monastère, devaient être lus et scellés devant l'ensemble des profès. C'est encore au chapitre que l'abbé recevait le premier engagement des moines. À chaque grande fête, l'abbé devait y réunir le convent avec les titulaires des prieurés voisins, et tous les ans, à la Saint-Aubert, s'y tenait un chapitre général, avec tous les forains, à l'exception de ceux qui résidaient de l'autre côté de la Manche qui ne venaient que tous les trois ans. Enfin, c'est là que se déroulaient les élections abbatiales. Dans les salles de chapitre destinées uniquement à cet usage, comme on en trouve une dans l'abbaye d'Hambye par exemple, on observe cette même triple arche à l'entrée ; elles comportaient, en outre, souvent deux nefs et, le long des murs, courait un banc de pierre afin que les moines puissent prendre place. En l'absence d'un tel édifice, on se demande où se tenaient, au Mont, ces réunions régulières. On a suggéré le petit bâtiment qui existait entre l'église et le cloître[1], et qui est aujourd'hui une simple cour. C'est une possibilité. Il nous semble cependant que cet endroit était mieux indiqué pour un autre usage. Il ne faut pas oublier en effet que les moines devaient disposer, pour la liturgie, d'un endroit facile d'accès, suffisamment vaste, proche de l'église, et du dortoir eu égard à l'office de nuit, pour revêtir ou ôter l'habit de chœur au moins huit fois par jour et se ranger en procession. Ce bâtiment, qui donnait directement sur le dortoir, sur l'église et sur le cloître, semble correspondre à ce qu'on attendait d'une sacristie. Il n'est pas absurde de penser qu'on y tenait aussi le chapitre, mais l'abbaye

1. LEMARIE, Joseph, *Les salles capitulaires de l'abbaye du Mont-Saint-Michel,* in *Millénaire…, op. cit.*, t. 5.

avait au moins une pièce dont on connaît mal l'usage et qui pourtant se prêtait bien à la fonction capitulaire. C'est celle qu'on appelle, à la suite des mauristes, le « Promenoir ». Elle est assez vaste pour y tenir des assemblées. Les fenêtres au nord-ouest dispensent la clarté nécessaire. On sait par le coutumier que les moines montois prenaient des repas au chapitre ; or le Promenoir était probablement un ancien réfectoire roman. La pièce qui lui est attenante, au nord, garde en effet des traces d'un système d'évacuation d'eaux usées. Il pourrait s'agir d'une ancienne cuisine. Il était donc aisé d'y prendre des repas. Elle pouvait, encore, servir de « Petit Chapitre », selon la dénomination spécifiquement montoise du conseil qui réunissait les principaux officiers du monastère et des proches de l'abbé.

Turstin semble s'être satisfait de cet état de fait et abandonna la troisième tranche de travaux envisagée par ses prédécesseurs. Les finances ne semblent pas avoir été la raison déterminante. Il est plus probable que les priorités avaient évolué rapidement. D'autres travaux étaient plus urgents. Depuis 1202, en effet, le roi d'Angleterre, Jean sans Terre, avait installé au Mont une garnison normande et établi des fortifications ; la place, désormais sous l'autorité de la couronne de France, paraissait un point potentiellement faible dans la défense de la province en cas de conflit avec le souverain anglais. Louis IX, lors de son pèlerinage, avait certes fait un don important qui servit à construire les premiers éléments de défenses dignes de ce nom. On éleva ainsi la tour du Nord et certaines parties des courtines qui en descendent vers le sud-ouest. Mais il devenait urgent de compléter le dispositif et de tracer des fortifications qui engloberaient le village. On peut voir encore des restes de ce rempart dans les soubassements du logis Saint-Symphorien, qui sert de monastère aux sœurs de la Fraternité de Jérusalem, ainsi que dans ceux du Vieux Logis, propriété de la famille Lebrec. De là, le mur rejoint l'alignement de l'église Saint-Pierre et, par la ruelle qui fait face au cimetière, les murs qui soutiennent les jardins de la Pilette, ou bien, passant plus au sud, la tour de l'Arcade[1]. Les spécialistes sont indécis. Ayant accompli une œuvre somme toute considérable, mais pas vraiment conforme, il est vrai, à ce qui nous aurait donné satisfaction et aurait fait de lui un abbé des plus remarquables, Richard Turstin mourut le 29 juillet 1264, au terme d'un des plus longs abbatiats qu'ait connus l'abbaye.

Après lui, le Mont traversa, pendant près de trente-cinq ans, une période sans histoire ; ainsi, on ne sait que le nom des abbés jusqu'à l'élection de Guillaume du Château en 1299. Après lui, les moines choisirent Jean de La Porte. Le manuscrit 211 d'Avranches donne, par le détail, le récit de cette élection. Ce texte nous permettra de suivre la complexité d'un tel acte et d'en mesurer les enjeux :

« L'an du Seigneur 1314, le jeudi qui suivit la nativité de la Vierge Marie (12 septembre) le corps du seigneur abbé Guillaume du Château fut ramené au Mont où il reçut une sépulture chrétienne ; il était mort à Mont-Rouault.

On demanda au roi de France Philippe son agrément pour procéder à une nouvelle élection. L'ayant obtenu, après le retour des envoyés, on fixa au lundi, suivant la fête de l'évangéliste saint Luc (21 octobre), l'élection d'un nouveau pasteur. Tous ceux qui devaient être convoqués – ils l'avaient été par citation de notaire – n'étaient pas sur place ce jour-là, à cause de la marée ; c'est pourquoi on reporta l'élection. Le lendemain, on débattit du mode de scrutin et l'on décida à l'unanimité que l'élection se ferait par compromis ; d'un commun accord, deux moines furent choisis pour en coopter cinq autres ; tous ceux qui avaient été choisis jurèrent d'élire

1. FAUCHERRE, Nicolas, « Les défenses », in *Le Mont-Saint-Michel, histoire et imaginaire*, Anthèse-Éditions du patrimoine, Paris, 1998, p. 145-146.

celui qui serait le plus utile au monastère, soit parmi eux, soit parmi les autres ; cependant, s'ils élisaient l'un d'eux, il faudrait que les six autres soient d'accord sur le septième, sinon leur décision serait nulle, et s'ils élisaient un membre du convent, il faudrait que ce fût à l'unanimité. Après avoir prêté serment, pouvoir leur fut donné. On alluma deux chandelles dont une resta au chapitre, l'autre, ils l'emportèrent avec eux au réfectoire. Les sept s'étant réunis, la grâce de Dieu ayant été appelée, les six autres firent s'éloigner Jean de la Porte, prieur de Saint-Pair et, d'un commun accord, ils l'élurent abbé.

Le lendemain jeudi, on le présenta à l'archidiacre et au chapitre d'Avranches, dont le siège était vacant, afin qu'ils confirment l'élection, ce qu'ils firent le mardi après la Toussaint, ayant cependant fait faire entre-temps des publications solennelles, deux dimanches de suite et à la fête de la Toussaint, dans le monastère de saint Michel pour que, si un moine, un clerc ou un laïc s'opposait à l'élection, il comparaisse le jour même ; personne ne se présenta. De ce fait, il fut confirmé ; l'archidiacre et le chapitre lui donnèrent des lettres pour qu'il soit béni par l'évêque de son choix. Le dimanche suivant (10 novembre), il fut béni par l'évêque de Dol dans l'église de Pleine-Fougères, en présence des abbés de Saint-Méen-de-Gaël, de la Lucerne, de la Vieuville, du Tronchet, du prieur de Saint-Michel, du chantre, du sous-prieur, de l'infirmier, du cellérier, du prieur de Pontorson, et d'autres encore. Le mercredi suivant, il se rendit à Avranches et devant l'autel Saint-André, il promit obéissance, soumission et honneur aux évêques d'Avranches et à leur siège. Le lundi suivant, il se mit en route pour rejoindre le roi de France. Le jeudi avant la Saint-André, apôtre (28 novembre), il le rejoignit près de Fontainebleau ; mais le roi Philippe[1] mourut le vendredi suivant à l'heure de prime ; ce jour-là l'abbé s'abstint

1. Philippe le Bel mourut le 29 novembre 1314.

de prêter serment de fidélité ; la date en fut fixée après la Pentecôte.

Une lettre est jointe au document qui permettait à l'abbé d'administrer jusqu'alors les biens du monastère, eu égard aux circonstances. »

La lecture de ce document montre que l'élection de l'abbé est strictement encadrée en amont et en aval par les autorités, tant ecclésiastiques que civiles. L'abbé a des devoirs spirituels desquels il est comptable à l'évêque d'Avranches, et il exerce aussi une seigneurie pour laquelle il doit prêter serment devant son suzerain français, mais aussi devant l'anglais pour les prieurés d'outre-Manche, par commissaire interposé. Ce n'est qu'après avoir fait ainsi allégeance par trois fois que l'abbé pouvait exercer son mandat.

Les pèlerinages connurent alors un certain essor. Les rois de France prenaient volontiers le chemin du Mont. Ainsi, le 8 mai 1311, Guillaume du Château reçut Philippe le Bel. Le roi laissa à l'abbaye de riches offrandes : deux fragments de la couronne d'épines, et un don de 1 200 ducats d'or qui servit à réaliser une statue de saint Michel. Il accorda encore aux moines le droit de tenir une foire annuelle au Mont plutôt qu'à Genêts. L'abbaye et le village étaient devenus des lieux d'échanges économiques assez importants. L'afflux des pèlerins générait une activité intense, au moins aux époques les plus favorables, entre mai et octobre. Pour l'année 1318, l'obituaire montois signale un assez grand nombre d'accidents : treize pèlerins se trouvèrent écrasés par la foule dans le sanctuaire et dix-huit se noyèrent dans la baie ! Ces chiffres indiquent une affluence qui s'explique certainement par la renommée internationale du sanctuaire, mais aussi par la conjoncture des quarante premières années du siècle. Le pape n'était plus dans Rome, mais en Avignon. La croisade était, pour l'instant, suspendue. Ainsi, la charge affective qui pendant deux siècles avait porté l'espérance du monde occidental en une victoire nécessaire et définitive de la chrétienté sur les Infidèles était tombée en déshérence. Elle ne demandait qu'à se réinvestir pleinement dans une sacralité renouvelée. On aspirait à retrouver du sens dans un monde qui semblait s'être dérobé ; si l'Orient était inaccessible, alors c'est en Occident qu'on trouverait des lieux signifiants. Quel lieu donc était mieux approprié, hormis Saint-Jacques-de-Compostelle, que celui de saint Michel, l'Archange toujours vainqueur ? La perte de la Terre sainte se transmuait en une nouvelle quête, plus intérieure. À cela, il fallait ajouter les angoissantes tensions nées de la rivalité entre les rois de France et d'Angleterre et qui allaient se précisant. On allait passer de conflits anciens, mais relativement limités, à une guerre de plus grande échelle. La conscience d'une perte, les menaces pour la stabilité du monde proche produisirent des élans mystiques subits et contagieux qui jetèrent des foules sur les « chemins montais », appelés aussi, significativement, « chemins de Paradis ». À partir de 1333, en particulier, des jeunes en grand nombre se mirent en route et convergèrent sur le Mont, en bandes plus ou moins importantes, plus ou moins agressives à l'égard des populations qu'ils croisaient. Il en vint aussi bien du Languedoc que d'Allemagne et des pays du Nord. Tous aboutissaient dans la baie. Des hospices, des « maladreries » furent construits pour les recevoir. Il y avait des points de passage à Beauvoir, Ardevon, Courtils, au Gué de l'Épine, à Genêts. Le pape avait grandement encouragé ces pèlerinages en ajoutant la mention de saint Michel dans la formule du *Confiteor*, récité au début de la messe, et en accordant, en 1332, des indulgences spécifiques. Un chiffre significatif nous est livré par un registre de la confrérie de Saint-Jacques de Paris, pour l'année 1368-1369 : « Depuis le premier jour d'août.mccclxviij. (1368) jusques au jour de monsieur saint Jacques et saint Christofle ensuivant (soit durant 360 jours) ont ésté losgés et hebergés en l'ospital de ceans.xvj^{m}. vj^{c}.iiij^{xx}x. (16 690) pelerins qui aloyent et venoient au Mont Saint Michiel, et autres pelerins et povres, et encore sont logés continuelment chascune nuit de.xxxvj. à.xl.

povres pelerins et autres povres, pour quoy le povre hospital est moult chargé et en grant necessité de liz, de couvertures et de draps pour les povres pelerins couchier. »[1] On a l'impression de lire le compte rendu d'activité d'un foyer d'urgence. Ce n'est peut-être pas si loin de la réalité.

Les activités du village se développèrent. Des auberges recevaient les visiteurs, leur assuraient une nourriture, dont on se plaignait parfois, du vin, dont les prix pouvaient occasionnellement atteindre des sommets. Il fallait encore que les pèlerins puissent ramener des « béatilles », des enseignes de pèlerinages, des médailles et des amulettes en forme de coques de la baie. Jusqu'à ces dernières années, on ne connaissait les fabricants de ces objets qu'à Paris, à proximité du Pont-Neuf. Les archéologues viennent de retrouver une de ces petites fonderies au Mont même, près de la Truie-qui-file. Les éléments les plus anciens de cet atelier pourraient remonter à la fin du XIVe siècle ou au premier quart du XVe.[2]

Après vingt ans de prélature, Jean de La Porte mourut en 1334. On choisit alors le prieur claustral, Nicolas le Vitrier, le seul abbé qui fût montois d'origine. Il resta à le tête de l'abbaye jusqu'en 1362, soit vingt-huit ans. Au cours de son abbatiat, on vit le monde changer, plonger dans la guerre et son corollaire : la misère. Dans les premières années de sa charge, Nicolas dut dresser un état du temporel. Le pape Benoît XII avait lancé une réforme des monastères. Par la bulle *Summi Magistri Dignatio*, le pontife avignonnais entendait organiser l'ordre bénédictin en provinces, un peu à l'imitation de ce qui se passait chez les mendiants. Il voulait, en outre, assurer une bonne formation pour les candidats à la vie monastique. Il fit ainsi obligation à chaque maison d'avoir une école claustrale et d'envoyer certains sujets à l'université. Un chapitre provincial eut lieu au Mans en 1337. C'est

1. Cité par E.-R. Labande in *Millénaire…, op. cit.*, t. 3, p. 245.
2. MENTEL, Serge, Service régional de l'Archéologie, DRAC de Basse-Normandie, *Bilan scientifique*, 2005, p. 107-108.

là que Nicolas produisit son état des lieux. L'abbaye montoise maintenait alors ses effectifs à quarante moines ; avec les prieurés, cela devait faire un total d'environ quatre-vingts sujets. Chaque prieuré, justement, en fonction de son importance, devait, lui aussi, contribuer à la formation des jeunes clercs en finançant deux bourses. L'absence de détails sur le contenu et l'organisation des études dispensées en interne ne veut pas dire nécessairement que l'école claustrale ait disparu ; cette discrétion est peut-être due à la volonté de ne pas trop mettre en lumière les richesses de la maison afin de ne pas aiguiser l'appétit de la chancellerie pontificale qui, au vu des états des lieux produits dans les chapitres provinciaux, imposait des taxes lourdes et mal supportées.

Un équilibre relatif régnait encore dans l'abbaye, quand éclata la peste noire qui réduisit la population européenne de plus du tiers entre 1347 et 1350. On ne sait pas quels effets directs elle a pu avoir sur la communauté. On constate cependant qu'en 1390 l'effectif des moines avait diminué de moitié ! À l'épidémie s'ajoutait la guerre. Depuis 1337, en effet, la France et l'Angleterre étaient en conflit armé. Le Mont allait être pris dans la tourmente. Une page se tournait définitivement.

CHAPITRE IV

LES TEMPS DIFFICILES

En 1346, Édouard III d'Angleterre avait débarqué sur le continent, revendiquant la couronne de France. En 1356, les troupes anglaises s'emparèrent de Tombelaine. Même si elles n'y restèrent pas, l'avertissement était clair. Elles pourraient intervenir dans la vie du Mont dès qu'elles le voudraient. La conséquence immédiate de ce coup de force fut que les paroisses d'Ardevon, de Huisnes, des Pas, de Beauvoir durent assurer, à tour de rôle, le guet sur le Rocher. Le gouverneur du Cotentin envoya une petite troupe de six hommes d'armes et de huit archers qui furent mis sous le commandement de l'abbé, ainsi promu capitaine. Les revenus de l'abbaye pâtirent rapidement de la situation. Il fallait entretenir la troupe alors que les revenus des prieurés anglais rentraient de plus en plus difficilement. Pour limiter les sources de conflits internes, on distingua alors les revenus de l'abbé de ceux de la communauté en créant une « mense abbatiale », distincte de la « mense conventuelle ».

En 1362, Geoffroy de Servon succéda à Nicolas le Vitrier. Richard Turstin avait modifié l'entrée de l'abbaye ; le nouvel abbé construisit le logis abbatial actuel afin qu'il soit placé de manière aussi judicieuse que l'était celui de Robert de Torigni. Après que l'autorisation du roi de démolir des maisons au pied de l'abbaye eut été obtenue, en 1368, les travaux ne commencèrent qu'en 1374. Le palais abbatial comprendrait deux corps de logis de trois étages. La tour Sainte-Catherine qui abritait, en son étage le plus bas, la chapelle qui lui donne son nom, permettait à l'abbé de disposer d'un oratoire privé. Au-dessus de la chapelle, deux grandes pièces constituaient une première partie de la résidence de l'abbé. En descendant le Grand-Degré, vers l'est, il fit ensuite élever l'élément central, le plus massif : trois grandes pièces superposées où se situait le logement d'apparat du prélat. Pour joindre les deux tours, vers l'ouest, un bâtiment plus étroit abritait la cuisine et les services de l'intendance. À l'est de la tour de l'Abbé, pour assurer le lien avec la nouvelle officialité, on édifia la bailliverie pour les services administratifs et financiers de l'abbaye. Cette construction bouleversa la façade sud du monument. Elle forme un véritable donjon et assure une défense sérieuse du reste de la maison. On peut remarquer une volonté de donner à ce bâtiment assez massif une allure élégante. Pour cela, on construisit, en léger encorbellement, des arcs de décharge qui reposent sur des colonnes semi-engagées interrompues à mi-hauteur. Ce décor rappelle l'architecture des parties anciennes du Palais des Papes en Avignon. Hommage au Saint-Père et signe de soumission, bien sûr, mais aussi traduction dans la pierre des relations toujours délicates avec le voisin d'Avranches. N'était-ce pas, en effet, signifier que le Mont, en cas de conflit, entendait s'adresser directement au pape ?

Geoffroy, face au danger que représentait l'Anglais, mit en chantier un système de défense efficace englobant la totalité du village qui s'était développé vers le sud. Il est cependant encore impossible de préciser sa part exacte dans ce grand-œuvre. Ce sont les deux abbés suivants qui achevèrent ce qu'il avait commencé. À sa mort, le 24 juin 1386, les effectifs du convent s'étant sensiblement réduits – certainement au-dessous de la trentaine –, on fut incapable de trouver sur place un candidat d'envergure suffisante pour faire face à la situation. Pour la première fois depuis Robert de Torigni, on élut un moine extérieur : Pierre le Roy, alors abbé de Lessay, son abbaye d'origine.

C'était un homme aux grandes capacités intellectuelles. Il avait fait à Paris de solides études de droit canon et acquis le grade de docteur. En 1379, il fut même régent (doyen) de la faculté parisienne. Il fit d'ailleurs partie de la délégation d'universitaires qui en 1380 porta plainte contre le prévôt de la Sorbonne auprès du roi. Un de ses premiers soucis fut de faire respecter le droit dans les affaires de l'abbaye. Comme l'avait fait son illustre prédécesseur, Robert, il fit dresser un état des lieux du domaine et des droits. Au terme d'une analyse précise de la situation, il en vint à rattacher les prieurés voisins du Mont à l'abbaye elle-même ; la multiplication des charges priorales conduisait à une dangereuse dispersion des forces. Aussi ramena-t-il dans le giron montois les maisons de Saint-Pair en 1386, de Brion en 1387, de Genêts en 1390, de Balland et de Saint-Méloir en 1400. À chacune de ces occasions, l'abbé prit soin d'obtenir confirmation de ses décisions auprès du siège apostolique. Prudence, car il fallait aussi se préserver de l'administration pontificale de plus en plus encline à considérer les abbayes comme des sources de bénéfices dont elle pouvait disposer à sa guise. Une fois rattachés à l'abbaye, les prieurés devenaient des proies moins faciles.

Parallèlement, pour rationaliser les rentrées des dîmes et stocker les produits dans de bonnes conditions, Pierre le Roy fit bâtir, en 1400, une grange à Huisnes et une à Ardevon. Cette dernière existe toujours, ainsi qu'une partie importante du bâtiment prioral qui lui est contemporain. À l'intérieur du monastère, il était nécessaire de réduire et de protéger les charges, pour ne pas courir le risque de se voir imposer des bénéficiaires extérieurs qui en accapareraient les revenus sans assurer le service qui leur incomberait. Ainsi, l'abbé fit supprimer le sacriste et obtint que le trésorier, un des titulaires les mieux dotés à ce moment-là, ne puisse être nommé sans le consentement du convent. On sent la volonté de l'abbé de verrouiller les postes importants et de se prémunir contre des indélicatesses venues de l'extérieur, qui pouvaient mettre en grand péril l'abbaye tout entière. Pierre le Roy eut également le souci d'adoucir les conditions de vie de ses moines. Pour cela, il fit cloisonner le dortoir de manière à ce que chacun eût un embryon de cellule et qu'il y ait possibilité de chauffer plus efficacement ; ce qui est loin d'être un luxe quand on sait ce qu'est l'humidité qui s'empare de ces lieux pendant l'hiver. Il est probable que le traumatisme de la peste ait amené l'abbé à prendre ces mesures d'hygiène. Elles permettaient de maintenir en bonne santé des troupes clairsemées, dans un lieu qui réclame une bonne condition physique pour pouvoir durer.

C'est cependant la formation des moines qui fut sa priorité. Il savait que sans elle il n'y aurait pas de rayonnement, pas de recrutement de qualité. Il envoya de jeunes frères étudier à Paris, poursuivant ainsi la politique de Geoffroy de Servon, qui avait mis en place, dès 1370, six bourses pour des clercs étudiants à l'université. À l'abbaye, il organisa des cours de théologie et de droit qu'il assurait lui-même quand il était présent. Il mit en place un cursus de formation initiale et continue. En son absence, des professeurs, choisis parmi les moines formés, se chargeaient de dispenser cet enseignement. Il subsiste de cette époque le manuel d'un de ces formateurs, peut-être du maître des novices[1]. Ouvrage composite, il rassemble des préparations de cours divers, destinés à couvrir les besoins d'un moine en formation. On ne peut attendre beaucoup d'innovations de ce genre d'ouvrage, mais plutôt l'image d'une culture moyenne. Il en ressort « une théologie solide et bien construite », « une conception de la culture religieuse

1. BMA, Ms. 213.

organisée rationnellement »[1], un enseignement structuré en un corps de doctrine cohérent.

Pierre le Roy, avec un grand souci d'exigence intellectuelle, enrichit sensiblement la bibliothèque du monastère. Parmi les ouvrages qu'il acquit ou fit recopier, figurent des œuvres de théologiens contemporains comme Thomas d'Aquin[2] et Jean de Hesdin[3], Hugues d'Argentan[4], des auteurs anciens comme Origène[5], et toujours Aristote[6], des recueils de droit, bien sûr : le code justinien et ses commentaires[7], des volumes de décrétales[8]. « Le XIVe siècle marque pour le scriptorium de l'abbaye un réel déclin. Ce n'est pas que la vie intellectuelle des moines baissât [...] mais du Mont, comme des autres monastères, on les [les jeunes moines] envoie étudier à Paris et l'on préfère acheter plutôt que copier les volumes nécessaires à leur instruction. »[9] L'abbé eut soin encore de faire rassembler et actualiser différentes pièces qui concernaient l'histoire de l'abbaye, dans les deux ouvrages connus sous le nom de *Volumen majus* et *Volumen minus*[10]. On trouve encore, datant de cette époque, un exemplaire de la règle de saint Benoît et des livres liturgiques[11], parmi lesquels un collectaire et un obituaire[12], ainsi qu'une littérature hagiographique non négligeable[13].

1. MICHAUD-QUANTIN, Pierre, *La théologie de l'au-delà, dans la première moitié du XVe siècle. Témoignage sur la vie intellectuelle montoise*, in *Millénaire monastique du Mont Saint Michel*, Lethielleux, 1967, t. 2, p. 341.
2. BMA, Ms. 127, *Contra impugnantes Dei cultum et religionem*.
3. BMA, Ms. 55.
4. BMA, Ms. 123 : un manuel de théologie.
5. BMA, Ms. 54, 244.
6. BMA, Ms. 250, 251.
7. BMA, Ms. 55, 138, 139, 145.
8. BMA, Ms. 153, 155, 156.
9. VIOLA, Coloman, *Aristote au Mont-Saint-Michel*, in *Millénaire...*, t. 2, p. 309.
10. BMA, Ms. 211, 212.
11. BMA, Ms. 169, 43, 45.
12. BMA, Ms. 215.
13. BMA, Ms. 168.

La situation fut assez calme dans la région entre 1380, année de la mort de Charles V, et 1415, qui vit le débarquement d'Henri V d'Angleterre sur le continent. Pierre le Roy en profita pour renforcer encore les défenses de l'abbaye. Il fit élever, en 1393, un haut ouvrage devant la porte d'entrée : le Châtelet, dont les deux grosses tours ont la forme de fûts de canon. Elles laissent un passage défendu par une herse et un gouffre. Cet ouvrage fut précédé d'une barbacane. L'abbé prit soin de parachever cette défense en faisant dresser un mur surmonté d'une courtine qui faisait jonction entre le Châtelet et la Merveille. À l'angle sud-ouest de cette dernière, il établit, en 1391, la tour des Corbins dont les degrés sont suffisamment larges pour faciliter un accès rapide aux toitures, permettant ainsi de prendre à revers un ennemi éventuel. Au sud, il fit construire, en 1400, une tour carrée qui porte son nom : la tour Perrine, qui abritait le corps de garde.

Bien qu'il fût très occupé dans son abbaye, Pierre n'en continuait pas moins à dispenser son enseignement à Paris. Il fut appelé par le roi Charles V, comme conseiller ecclésiastique. Le pape Alexandre V[1], élu par le concile de Pise en 1409, le nomma, à son tour, « référendaire », autrement dit « gardien du sceau pontifical ». Pendant ses nombreuses absences, l'abbaye était administrée par le prieur. Mais, bien qu'il eût l'autorité pour suppléer à l'abbé en ces circonstances, il n'avait pas le prestige de la charge abbatiale ; une nouvelle ambiance s'installait, qui tendait à faire de plus en plus place aux préoccupations personnelles au détriment de la vie communautaire. Le pape Alexandre mourut le 4 mai 1410 à Bologne, Pierre le Roy le 14 février suivant. Il fut enterré dans le couvent des dominicains de cette ville, à côté de grands canonistes. Il avait confié cette tâche à son jeune secrétaire, Robert Jolivet.

1. Élu pape par les cardinaux pisans en 1409, il fut depuis considéré comme antipape.

Celui-ci inaugura une nouvelle manière d'être abbé. Il était en effet entré au Mont en 1402 ; dès 1406, un acte le qualifiait de « maître ès arts ». C'est dire qu'il avait terminé ses études de rhétorique, mais c'est tout ; celles de théologie proprement dites restaient à faire. Pierre le Roy semble avoir fondé sur lui de grands espoirs et avoir eu d'autres priorités que de lui faire achever sa formation. Il le nomma donc très vite prieur de Saint-Broladre. Il lui permettait ainsi de faire ses premières armes comme bénéficiaire d'un titre, même si la charge était directement sous la dépendance de l'abbaye. Puis, parti à Rome avec son abbé, Robert ne resta pas inactif. Il se fit un nom dans les milieux proches du pape. Aussi, à la mort de Pierre le Roy, s'empressa-t-il de demander au nouveau pontife Jean XXIII[1] de le désigner à la charge abbatiale. Le 22 mars 1411, ce fut chose faite ; et l'impétrant, de retour dans son abbaye, put se présenter au suffrage de ses frères montois, dûment muni d'une bulle pontificale. Comment résister à pareille invitation et risquer de déplaire au Saint-Père ? La nomination fut donc validée par une élection de pure forme. Les démons que la communauté montoise avait combattus aux XIe et XIIe siècles revenaient. Ce n'était plus le duc mais le pape qui s'immisçait dans les affaires montoises. Le danger était néanmoins le même. En octobre 1411, le nouvel abbé était nommé capitaine de la place par le roi. Dans un premier temps, pour se concilier les faveurs de la communauté, il fit faire pour l'église des vases sacrés et des ornements d'une grande magnificence, grâce à une somme importante qu'il avait héritée de son prédécesseur. Très vite, cependant, il fut à l'étroit sur le Rocher que, somme toute, il n'avait jamais habité très longtemps.

1. Élu pape, lui aussi, par les cardinaux pisans à la mort d'Alexandre V en 1410, il fut déposé par le concile de Constance en 1415. Il fut également considéré comme antipape, si bien que, en prenant le nom de Jean, monseigneur Roncalli, élu le 28 octobre 1958, se retrouva au même vingt-troisième rang de ce nom, mais, cette fois, dans la liste des papes légitimes.

Malgré l'opposition de ses moines, il partit s'installer à Paris en mettant en avant la nécessité de terminer ses études. Pour vivre à son aise, il y acheta un hôtel particulier aux moines de Sainte-Geneviève. En 1414, il obtint du pape le pouvoir d'appeler aux ordres des candidats, sans avoir à en référer à l'évêque d'Avranches. Il avait ainsi la liberté de demander à n'importe quel évêque de les ordonner. Cela équivalait à une exemption de fait.

Il attendit encore deux ans avant de rentrer au Mont mais, une fois sur place, il dépensa beaucoup d'énergie pour renforcer les ouvrages de défense de la place. Il construisit le rempart, selon le tracé qu'on lui connaît encore aujourd'hui, englobant ainsi dans les murs la partie basse du village. C'est à lui qu'on doit presque toute la muraille actuelle, ainsi que la porte du Roy avec son pont-levis. Il avait, de plus, compris qu'en cas de siège un des points faibles était le manque d'eau potable. Aussi prit-il la décision de construire une importante citerne au pied de l'abside de l'église abbatiale, à l'est. Il fit encore fortifier l'escalier qui donnait accès à la fontaine Saint-Aubert, jusqu'alors le seul point d'eau de l'abbaye.

En 1418, les Anglais prirent Pontorson ; Avranches capitula peu après. En 1419, l'abbé prit la décision unilatérale de rejoindre Henri VI d'Angleterre et de lui faire sa soumission. Il se comporta en la circonstance comme la plupart des abbés normands, mais ne put entraîner la communauté dans son sillage. Espérait-il une restauration du duché ? Pensait-il que toute résistance était inutile ? Cherchait-il simplement à trouver une situation à la cour d'Angleterre aussi enviable que celle qu'il avait eue, un temps, à la cour de France ? En son absence, le pape nomma le prieur Jean Gonault comme administrateur avec les pouvoirs d'abbé. Le commandement militaire fut confié par le roi à Jean d'Harcourt, comte d'Aumale. Il amena avec lui certains seigneurs de la région qui refusaient de se soumettre aux Anglais. Ils n'avaient plus rien à perdre, car leurs terres leur avaient été confisquées. Ils seraient de bons défenseurs. Le Mont, lui, perdit alors toutes ses possessions outre-Manche. Le 20 septembre 1421, comme si la situation n'était pas assez critique, le chœur de l'église s'effondra, laissant un trou béant, alors que les ennemis occupaient les environs. Cela dut frapper les esprits. C'était, en effet, l'année où le roi Henri V devint Régent de France. Le Mont-Saint-Michel, seule place normande restée fidèle à la couronne, était atteinte, sans cause apparente, dans ce qu'elle avait de plus précieux. C'était comme si saint Michel se retirait.

En 1423, les Anglais s'emparèrent à nouveau de Tombelaine et transformèrent l'ancien prieuré en forteresse. On peut y voir encore les restes d'une tour et d'une porte. Dans un premier temps, ils interdirent tous les pèlerinages, mais ils desserrèrent assez vite leur étau, ne maintenant l'interdiction que pour les seuls Normands. La pression était telle que le Mont n'avait presque plus de contact avec l'extérieur. En 1425, Robert Jolivet revint dans la région. Cette fois, il était « conseiller et commissaire du roi d'Angleterre en la basse marche de Normandie pour le recouvrement de la place du Mont-Saint-Michel ». La même année, Louis d'Estouteville en fut nommé gouverneur. La position montoise devint très critique et le blocus total. L'abbaye se trouva vite avec des finances calamiteuses. Les moines durent vendre une partie de leurs objets précieux. L'essentiel des revenus de l'abbaye provenait de terres occupées par les Anglais : les moines en étaient désormais privés. Les ressources confisquées furent attribuées à Robert Jolivet, en sa qualité d'abbé. En 1431, on le trouva au procès de Jeanne la Pucelle, en qualité d'assesseur ; ceci, bien sûr, contribua à en faire un traître parmi les traîtres. Le 17 juin 1434, le Mont ne fut pas loin de la défaite. Les Anglais, sous le commandement du sieur de Scales, firent une brèche dans le rempart. Les assaillants étaient des troupes régulières : quelques centaines d'hommes, qui combattaient depuis des années en milieu hostile.

Les défenseurs luttaient avec l'énergie du désespoir. Ils repoussèrent l'assaut et capturèrent deux bombardes qu'ils déposèrent à l'entrée de la ville où elles sont encore aujourd'hui. Le Mont sortit de cette affaire avec la réputation d'une forteresse inviolable. L'étau se desserra peu à peu, même si les troupes anglaises restèrent à Tombelaine jusqu'en 1450. Mais le vent avait tourné et les assiégeants se retrouvèrent... assiégés.

Quand Robert mourut à Rouen en juillet 1444, la course à la succession abbatiale se trouva relancée. Dès la nouvelle de sa disparition, le convent élut comme abbé Jean Gonault. C'était sans compter sur le capitaine de la place qui avait un frère cardinal, Guillaume d'Estouteville, très en vue à la cour pontificale et très largement pourvu de bénéfices. Sur intervention du roi Charles VII, le pape Eugène IV, à titre exceptionnel et provisoire, le nomma d'autorité à la tête de l'abbaye. Jean Gonault tenta de protester, mais ce qui avait été semé avec la nomination de Robert Jolivet portait fruit. L'abbé dut se rendre à l'évidence et passer un compromis qui épargnait à l'abbaye un conflit long et incertain. Il se retira au prieuré de Saint-Victeur du Mans. La situation était inédite. L'abbaye avait maintenant à sa tête un ecclésiastique, certes, mais un séculier qui n'était astreint ni à l'observance, ni à la résidence. Le nouvel abbé se contentait de percevoir une bonne part des revenus de l'abbaye ; c'est la « commende ».

Nommé en 1444, le cardinal ne se rendit au Mont qu'en 1452. Il n'y séjourna que quelques jours. Il mit cependant en place un système d'indulgences et un fonds de financement pour permettre de continuer la reconstruction du chœur, entreprise vingt-cinq ans après le désastre, en 1446. À cette occasion, le duc de Bretagne octroya aux moines l'autorisation d'extraire du granit des carrières de la Fontenelle, près d'Antrain. Ce droit fut renouvelé pendant vingt-cinq ans. Les pierres étaient transportées avec des barges sur le Couesnon. Le cardinal voulait que le chœur en construction fût une œuvre élégante. Il lui fallait un édifice lumineux, qui donnât une impression d'irrésistible élévation. Avec un jeu de contreforts qui assurait une parfaite maîtrise des forces et un bon équilibre à l'édifice, on dressa une structure de piliers et de voûtes, reliés entre eux par des murs qui servaient à clore l'espace sans pour autant faire obstacle à la lumière. La verticalité de l'édifice était encore soulignée par un assemblage subtil de colonnettes inscrites dans les piliers massifs, qui, du sol, s'élèvent jusqu'aux clés de voûte d'un seul tenant. Le regard est, pour ainsi dire, happé vers le ciel.

Durant la première phase du chantier, on avait réalisé la crypte des Gros Piliers. On la raccorda au palais abbatial par un pont de pierre et on l'ouvrit sur l'officialité qui avait, entre-temps, pris le nom de « Belle-Chaise » par allusion à la magnificence du trône abbatial qu'y avait fait dresser Pierre le Roy. La crypte était ainsi devenue l'antichambre obscure et peu rassurante du tribunal abbatial. On avait rebâti encore le premier étage de l'église, jusqu'à la limite inférieure du triforium. Avant l'arrêt des travaux, en 1456, on prit soin de couvrir ce qui avait été fait. Le chœur, même inachevé, pouvait à nouveau remplir sa fonction. Il fallait trouver de nouveaux fonds pour poursuivre l'aventure, mais le cardinal avait désormais beaucoup d'autres soucis.

Au terme de la guerre de Cent Ans, Louis XI voulut donner au sanctuaire une aura sans égale. Il y fit cinq pèlerinages et, en 1469, institua l'ordre des Chevaliers de Saint-Michel, destiné à concurrencer celui de la Toison d'Or. Même si cette dernière initiative n'avait pas de lien direct avec l'abbaye montoise, celle-ci devenait néanmoins une référence pour la nation en cours d'émergence. On pouvait croire à l'avènement d'un nouvel âge d'or. À la faveur d'une fréquentation accrue, le village se développa considérablement et connut une période de prospérité. Beaucoup des maisons anciennes visibles aujourd'hui datent de cette époque : parmi elles le Logis Saint-Sébastien, la Sirène, le Chapeau rouge, le Vieux-Logis.

L'église paroissiale fit alors l'objet de transformations. Un clocher à bâtière vint remplacer le petit campanile qui figure sur la miniature des frères Limbourg. Le chœur reçut sa configuration actuelle qui lui fait enjamber la ruelle voisine. Un vitrail dans la chapelle nord porte le nom de son donateur, Raoul Jaquet, et témoigne de l'art des maîtres verriers d'alors. La statuaire de ce siècle est représentée par une sainte Anne et une Vierge à l'Enfant. Dans la muraille sud de cette église se trouve un gisant mutilé qui pourrait être celui de l'épouse du bienfaiteur, la dame Jaquet. Les traces de fresques dans la chapelle de la Vierge sont de la même époque. Guillaume d'Estouteville mourut à Rome en 1482. Son frère Louis l'avait précédé dans la tombe en 1464.

À la mort du cardinal, les moines, alors au nombre de vingt-cinq, se hâtèrent d'élire André Laure, prieur de Pontorson. C'était le neveu d'Ymbert de Batarnay, gouverneur du Mont depuis 1465. Il était le représentant d'une famille très puissante qui avait envoyé à l'abbaye quatre de ses rejetons. Il semble bien qu'il y ait eu une volonté de mainmise sur une source de bénéfices encore très enviable. Cela facilita pour un temps la succession abbatiale. André, en effet, fut remplacé, en 1499, par son cousin Guillaume de Lamps ; en 1510, la crosse abbatiale revint au frère d'André, Guérin Laure, qui la transmit en 1513 à Jean de Lamps. On ne peut pas dire que cette situation ait été très saine. L'abbaye était devenue un fief familial quasi héréditaire. Parmi les quatre cousins, les de Lamps furent, heureusement, des moines remarquables. Guillaume fit prolonger le palais abbatial vers l'ouest en édifiant un nouveau corps de logis avec un escalier en encorbellement très visible sur la façade sud. Il fit encore réaménager le Saut-Gaultier, devant l'entrée de l'église, et édifier la citerne qui est dans le Grand Degré, mais surtout il reprit, en 1500, les travaux de l'église et réalisa le triforium. Ce fut son frère Jean qui, à partir de 1513, éleva les fenêtres hautes et acheva l'édifice en 1521, soit un siècle après son effondrement. Jean de Lamps s'éteignit en 1523 ; il était le dernier des abbés réguliers.

En 1516, en effet, François Ier avait signé avec le pape Léon X le concordat de Bologne. Il avait obtenu ainsi la libre nomination aux évêchés et aux abbayes. Le pape se réservait simplement l'investiture canonique. En 1524, quelques mois seulement après la mort de Jean de Lamps, le roi nomma à la tête de l'abbaye Jean le Veneur, alors évêque de Lisieux. Le nouvel abbé ne vint jamais dans son monastère. La responsabilité de la communauté fut désormais le fait des prieurs. Les revenus de l'abbaye allaient largement à l'abbé commendataire qui, pour ne pas voir diminuer sa part, entreprenait le moins de travaux possible dans la maison. Il semble même que, pour diminuer les frais que lui causaient les moines, Jean le Veneur fit renvoyer des novices de manière à ne pas augmenter les effectifs de la communauté. On peut imaginer ce qui pouvait en résulter. Devenu cardinal en 1533, le prélat négocia auprès du Saint-Siège et du roi le passage de ses bénéfices au Mont et à Lisieux à Jean d'Annebault, son parent. Ce fut chose faite en 1543.

En 1547, les moines prirent sur leur mense conventuelle l'argent nécessaire pour élever une clôture autour du chœur de l'église. Certains éléments de cet ouvrage subsistent. Ils sont actuellement exposés dans les chapelles rayonnantes. Quelques années plus tard, l'abbaye, qui ne comblait plus suffisamment l'appétit des puissants, fut objet d'échange. En 1570, alors que Charles IX imposait de nouvelles taxes sur les bénéfices ecclésiastiques pour financer les guerres contre les réformés, Arthur de Cossé, déjà détenteur de Saint-Melaine à Rennes et de l'évêché de Coutances, tout juste nommé abbé, vint en personne au Mont, dans l'intention de faire main basse sur le trésor de l'église. Pour l'en empêcher, le prieur, Jean de Grimonville, en vint aux mains avec le prélat. Celui-ci renonça pour un temps. L'affaire fut cependant jugée devant le parlement de Normandie et, nouvelle avanie pour les moines, le prieur claustral qui exerçait l'autorité de fait, et jusqu'à présent sans limite dans le temps, ne pourrait plus être élu que pour trois ans. L'abbaye risquait à nouveau l'instabilité. En 1587, Cossé mourut et fut remplacé, l'année suivante, par un membre de la famille de Bartanay, qui avait donné les quatre derniers abbés réguliers. Le cardinal de Joyeuse, éminent membre de la Ligue, était un personnage de premier plan. Il vivait le plus clair de son temps à Rome où il consacra la nouvelle église Saint-Louis-des-Français, ainsi que celle de la Trinité-des-Monts. Il était archevêque de Rouen, de Toulouse et de Narbonne, titulaire d'un nombre impressionnant d'abbayes. Une de ses premières décisions, concernant le Mont, fut de diviser par deux l'effectif des moines. De vingt-six, ils passèrent à treize. Ils lui coûtaient trop cher.

Durant cette seconde moitié du XVIe siècle, la France était en proie aux guerres de Religion. L'Avranchin et le Mont ne furent pas épargnés. Les partisans de la Réforme en Basse-Normandie avaient à leur tête les Montgomery. Une vieille famille normande catholique dont un ancêtre avait suivi Guillaume le Conquérant. D'Écosse, ils étaient revenus s'installer à Ducey, le fief de leur mère, et à Pontorson. En 1559, Gabriel Ier avait involontairement blessé à mort, lors d'un tournoi, le roi Henri II. Depuis cet accident, il était l'objet de la vindicte de Catherine de Médicis. Il se retrouva ainsi parmi les principaux chefs du parti réformé. À sa mort en 1574, ses fils, Gabriel II surtout, prirent les armes et furent particulièrement actifs contre le Mont. Ils réussirent d'abord à faire de Tombelaine leur base arrière. Entre 1577 et 1596, le Mont fut attaqué neuf fois. Trois de ces assauts faillirent réussir. Le coup de force le plus spectaculaire eut lieu le 29 septembre 1591, jour de la Saint-Michel. Un soldat de la garnison montoise, qui avait été fait prisonnier, accepta d'aider les protestants à entrer dans l'abbaye. De retour au Mont, il avertit cependant le gouverneur de ce qui se tramait : celui-ci lui ordonna de laisser exécuter le plan prévu et de faire monter les conjurés par le monte-charge du cellier. L'ascension terminée, chacun des arrivants était conduit dans l'aumônerie voisine où il se voyait offrir « un bon coup de vin ». Il était alors amené dans la salle des gardes où il était exécuté dans la plus grande discrétion. Au bout d'un certain temps, les huguenots, intrigués par le silence qui régnait encore dans l'édifice, malgré la présence des leurs, exigèrent qu'on leur jetât un religieux par une fenêtre. On leur lança un conjuré déguisé en moine. Ils se rendirent alors compte qu'ils avaient été joués et prirent la fuite, mais quatre-vingt-dix-huit de leurs partisans avaient été tués. Depuis cet événement, les deux salles où le guet-apens avait été tendu sont aussi appelées les « Montgommeries ».

Le cardinal de Joyeuse, bien loin de ces conflits tragiques, s'éteignit en 1615. Il laissait la stalle abbatiale à son petit-neveu, Henri II de Lorraine, duc de Guise, alors âgé de un an et quatre mois ! Mais la réalité dépasse parfois la fiction, et cette situation étonnante, grotesque même, se révéla un dernier espoir de rédemption pour le reste de la communauté qui s'accrochait, malgré tout, au Rocher. La situation était à ce point déplorable que certains moines ne vivaient plus dans l'abbaye. La nomination d'un enfant, si illustre fût-il, rencontra les réticences du pape. Il n'accepta de donner son aval qu'à la condition que soit nommé comme administrateur jusqu'à la majorité de l'abbé, Pierre de Bérulle, fondateur de l'Oratoire. Après la mort du prieur claustral en 1617, d'amicales mais fermes pressions amenèrent les moines montois à accepter qu'un étranger fût mis à leur tête ; la négociation s'accompagnait de la mise en œuvre de travaux urgents, en particulier à l'ouest, où le bâtiment de Robert de Torigni menaçait ruine. On le soutint par d'énormes contreforts qui sont encore en service aujourd'hui et qui portent le nom des ducs de Lorraine. Le nouveau prieur, Noël Georges, venait de l'abbaye Saint-Florent près de Saumur. Dès son arrivée, il s'efforça de rétablir la régularité et la vie commune, mais il se heurta à une volonté affichée de ne rien changer. Pour tenter d'assurer l'avenir sur des bases restaurées, il envoya deux jeunes moines faire des études au collège de Cluny à Paris. Or, le concile de Trente avait engagé l'Église de France dans la Contre-Réforme, et l'ordre bénédictin s'était résolument engagé dans ce grand mouvement de rénovation spirituelle dès 1604, en Lorraine. Le point de départ de cette œuvre nouvelle était le monastère de Saint-Vanne de Verdun. La duchesse de Guise, mère de l'abbé, souhaitait que le Mont entrât dans cette mouvance. Le triennat de Noël Georges arrivant à son terme, il fut remplacé par un des jeunes moines qu'il avait envoyés étudier, Henri du Pont. Ce dernier revint au Mont accompagné de deux confrères, tous deux issus de monastères réformés : Gilles Lecoq et Mathieu Fery. Ils voulaient faire accepter le retour de la communauté à la lettre de la règle ; ils se heurtèrent à de vives résistances.

Entre-temps, la congrégation de Saint-Vanne s'était répandue et organisée, sur une bonne partie du territoire français, en une branche particulière qui prit le nom de Saint-Maur. L'abbaye de Saint-Germain-des-Prés de Paris devint sa maison-mère et son centre le plus important. À force de persévérance, les jeunes moines montois vinrent à bout des oppositions. En 1622, le chapitre accepta que des moines réformés viennent s'installer sur le Rocher ; en compensation, les « anciens » se verraient octroyer une pension et les « nouveaux » seraient dotés d'une mense particulière. On envoya au Mont douze moines de différents monastères, accompagnés de quelques convers. Ils furent installés par l'évêque en personne dans le palais abbatial. Ainsi, l'effectif de la communauté était multiplié par deux. Il fallait, sans tarder, engager des travaux pour rendre le bâtiment de la Merveille, négligé depuis longtemps, à nouveau habitable.

Les moines cherchèrent à adapter ces lieux moyenâgeux aux conditions de vie du XVIIe siècle. On s'est beaucoup écrié à ce propos du manque de jugement esthétique qui les conduisit à transformer le réfectoire en un espace de cellules sur deux étages. À nos yeux, bien sûr, la démarche a de quoi surprendre, mais il fallait vivre là de façon durable. Le réfectoire fut transporté en dessous et un escalier fut ouvert entre les deux étages à l'angle sud-ouest de la Merveille ; on l'appelle d'ailleurs l'« escalier des Mauristes ». C'est en 1629 que l'ensemble de la communauté prit possession des locaux réaménagés. Le cardinal-abbé, Henri de Lorraine, avait grandi. Il prit part à la Fronde et fut destitué de sa prélature en 1641. À partir de là, six personnages de haut rang se succédèrent à la charge abbatiale, jusqu'à la Révolution. Le bénéfice resta vacant, de 1769 à 1788, et l'abbaye fut sous la seule administration des prieurs. Le dernier abbé fut le cardinal de Montmorency, mais, deux ans et demi après sa prise de fonction, les ordres religieux furent supprimés.

On a souvent envisagé la venue des mauristes comme la répétition, à sept siècles de distance, de l'« arrivée » des bénédictins de 966. C'est, de fait, le scénario élaboré par l'évêque d'Avranches qui, en 1622, rejouait la scène décrite dans l'*Introductio monachorum*. Les arrivants seraient une nouvelle greffe sur un Mont en pleine décadence par la faute de moines qui, non seulement n'auraient plus eu le goût de l'observance, mais se seraient complu dans la débauche. Une telle vision oublie que la réforme fut initiée de l'intérieur. C'est en envoyant étudier le jeune Henri du Pont que de nouvelles forces ont pu être introduites au Mont, non pas à la place des moines présents, mais avec eux, quand bien même ce fut dans la douleur. Que la situation ainsi créée ait été complexe, tendue à certains moments, cela est indéniable. Les moines qui venaient de Saint-Germain-des-Prés avaient en effet la mission d'appliquer au Mont des exigences qui bousculaient des habitudes sanctifiées par la tradition multiséculaire de l'abbaye. La première difficulté fut sans doute, pendant les vingt ou trente premières années de la réforme, la coexistence dans la même maison de deux groupes de moines qui n'avaient pas le même statut. Une des caractéristiques de la vie bénédictine, en effet, est la stabilité dans le monastère. Chaque moine fait profession dans une maison précise et promet d'y passer sa vie, sauf cas exceptionnels de transfert de stabilité, quand des situations individuelles deviennent insupportables, ou quand on élit abbé un moine de l'extérieur. En outre, au Moyen Âge, la notion d'ordre n'existait pas. Il y avait certes des contacts entre les monastères, voire des liens privilégiés de fraternité spirituelle entre certaines maisons, mais pas d'organisation générale. Or, tandis que les moines montois vivaient leur stabilité au Mont, selon cette antique pratique, ceux de Saint-Maur avaient fait vœu de stabilité dans la congrégation elle-même. Ils étaient donc appelés à se déplacer dans n'importe laquelle de ses maisons, selon l'obédience que leur donnaient leurs responsables. Ils relevaient tous d'un centre de décision extérieur : le prieur général et son conseil. Les prieurs changeaient tous les trois ans. La conscience d'une appartenance nouvelle se faisait jour, celle d'un nouveau référent aussi : non plus l'abbaye, mais la congrégation. Le particularisme du Mont, comme celui des autres anciennes maisons, était de plus en plus ressenti comme une survivance du passé. Si les chapitres locaux étaient maintenus, c'est le chapitre général qui prenait les décisions vraiment importantes et organisait les services pour la congrégation entière. Dans cette nouvelle organisation, l'abbaye montoise fut rattachée en 1637 au groupe des abbayes bretonnes autour de Marmoutier, et non à la province de Normandie. Dans le diocèse d'Avranches, elle fut la seule dans ce cas. Comme quoi, l'histoire fait parfois preuve d'un humour inattendu : le Mont retrouva un lien avec la Bretagne, jusqu'à la Révolution !

Un des soucis majeurs de Saint-Maur était de fournir une formation intellectuelle de base extrêmement sérieuse aux jeunes profès. Le Mont devint ainsi une maison d'étude. En 1625 et 1626, il abrita un des noviciats de la congrégation. Les études se poursuivaient alors en deux cycles de trois ans. On sait que de 1657 à 1660, un groupe de treize ou quatorze jeunes moines suivit un cours de philosophie, puis un cours de théologie pendant les trois années suivantes. En 1664, ils firent, sur place, une année supplémentaire, dite « de récollection », avant d'être ordonnés prêtres. En 1665 et 1666, un nouveau cycle avec un cours de rhétorique recommença. Le Mont eut un groupe d'étudiants et de professeurs jusqu'en 1743. De cet enseignement, il n'est pas sorti d'œuvres remarquables, mais la mission des enseignants était de donner des bases théologiques et spirituelles dans l'esprit de la Contre-Réforme.

Les moines de Saint-Maur étaient conscients de recevoir un héritage lourd à porter en acceptant de relever des maisons que les circonstances, et la commende en particulier, avaient mises à mal. Assez naturellement, ils entreprirent de rechercher, avec un esprit somme toute déjà assez critique, en tout cas systématique, de faire revivre l'histoire de ces monastères. Ainsi au Mont, dom Jean Huynes, écrivit une première version de l'*Histoire générale de l'abbaye du Mont Saint-Michel* en 1638, qu'il révisa en 1640[1]. Dans une adresse aux pèlerins, il précise l'objet de son entreprise : « Un des motifs qui m'a meu à composer ceste histoire (chers Pelerins et lecteurs) a esté le desir que j'avois de vous contenter ; car souventesfois depuis que mes superieurs m'ont commis la garde de la Thresorerie de cette abbaye, ayant entendu les interrogations que vous avez coutume de faire, venants en ce Mont, touchant la fondation de ce Monastère et les choses remarquables qui s'y voient, je jugeois que vous aviez raison de faire de telles demandes. C'est

1. Dom HUYNES, Jean, *Histoire générale de l'abbaye du Mont Saint-Michel*, édition Eugène de Robillard de Beaurepaire, Rouen, 1872. Dom Louis de CAMPS, vers 1664, recopia et compléta l'œuvre de son confrère.

pourquoi je me resolu de rechercher diligemment ce que je pouvois rencontrer dans les archives de manuscripts de ce Monastère. »[1] Ce travail servit de base à dom Thomas le Roy qui arriva au Mont le 29 novembre 1646. À partir du 1er janvier suivant, il se mit à compléter l'œuvre de son prédécesseur. Il y travailla d'arrache-pied jusqu'à sa nomination à Saint-Melaine de Rennes le 22 juillet 1648. Il laissa, en partant, *Les curieuses recherches du Mont-Saint-Michel.*[2] Ces ouvrages sont précieux car les auteurs avaient mené une enquête sérieuse sur les sources à leur disposition. Ils ont ainsi sauvé de l'oubli bien des documents de première main et ont fait la chronique des événements dont ils étaient les témoins. Le texte de dom Thomas est assez vivant ; il permet de saisir ce que pouvait être le point de vue d'un mauriste vis-à-vis du passé montois. Le lointain est glorieux, mais entaché d'un laisser-aller qui a inéluctablement mené à la décadence. Renouant avec la tradition monastique authentique, ces moines réformés ont heureusement restauré le Mont dans sa splendeur originelle, alors que les « anciens messieurs » sont toujours aussi peu recommandables. Ce point de vue est encore trop souvent à l'œuvre jusque dans l'historiographie récente, quand sont émis des jugements sur la qualité de la conduite des moines, sans tenir compte des conditions réelles de vie à l'abbaye à telle ou telle époque. Dans un cadre plus général, la congrégation de Saint-Maur, sous l'impulsion du savant dom Mabillon, fut la cheville ouvrière d'un travail considérable d'édition des textes patristiques sur une base critique. Il devenait nécessaire de se doter d'éditions fiables. Pour ce faire, on recherchait les meilleurs manuscrits dans les scriptoria des maisons

1. Dom HUYNES, Jean, *Histoire générale de l'abbaye du Mont-Saint-Michel*, édition Eugène de Robillard de Beaurepaire, Rouen, 1872, p. 5-6.

2. Dom LE ROY, Thomas, *Les curieuses recherches du Mont-Saint-Michel*, édition Eugène de Robillard de Beaurepaire, Caen, 1878.

maintenant à charge de la congrégation parisienne. C'est ainsi que plusieurs manuscrits montois furent dispersés. Certains se retrouvèrent à la Bibliothèque nationale après la confiscation des biens du clergé ; bon nombre, hélas, disparurent dans la tourmente révolutionnaire.

Les bénédictins de Saint-Germain-des-Prés avaient entrepris, en particulier, d'éditer les œuvres de saint Augustin. C'est donc presque naturellement qu'ils se retrouvèrent dans le mouvement janséniste. Après la disparition de Port-Royal-des-Champs, en 1713, ce sont eux d'ailleurs qui héritèrent la bibliothèque de cette abbaye. L'aspect qui nous intéresse ici n'est pas d'abord son versant proprement théologique et les discussions sur la grâce que ce mouvement a suscitées, mais ses conséquences. En 1714, en effet, Louis XIV obtint de Clément XI la bulle *Unigenitus Dei filius*, portant condamnation des thèses jansénistes. Celles-ci tendaient à réduire l'Église au nombre des justes et des élus, à faire dépendre l'autorité du pape du concile ; et le poids de celui-ci dépendait de sa réception par l'ensemble des croyants. Le roi somma le clergé de France de se soumettre au pape et de signer un formulaire d'adhésion à sa doctrine. Le résultat immédiat, et durable, de ce qui fut alors ressenti comme un coup de force royal dans les affaires de l'église de France, aboutit à une division entre partisans et adversaires de la réception de la bulle. Ceux-ci en appelèrent du concile contre le pape pour délibérer et trancher de façon indépendante. La situation prit un tour dangereux, non seulement à l'intérieur de l'Église de France, mais sur le plan politique et institutionnel. L'affaire de Port-Royal était, en effet, symptomatique des rapports tendus entre une partie de la société française et le pouvoir royal, d'une part, et la position particulière de l'Église de France vis-à-vis de Rome d'autre part. Sous la conduite de Richelieu d'abord, de Mazarin ensuite, le pouvoir central s'affirmait. Le roi concentrait tous les pouvoirs, au détriment des Parlements et des Grands qui n'hésitèrent pas à se révolter contre un monarque qui voulait leur rogner les ailes. L'Église se trouva dans une position de plus en plus délicate. Le haut clergé, en effet, appartenait à la noblesse et était traversé par les courants frondeurs. Port-Royal servit de caisse de résonance au malaise de toute une classe sociale qui se sentait fragilisée. Les jansénistes, en opposition au pape, et bientôt au pouvoir, formèrent une sorte d'aristocratie pénitentielle, emblématique, après l'écrasement des Frondes en 1652, d'une résistance spirituelle qui trouvait, dans son radicalisme ascétique, sa pleine légitimité. Ce courant intransigeant devint le symbole de la tradition gallicane, tellement liée à la Couronne depuis le XVe siècle, avant que le pouvoir ne s'absolutise. *Unigenitus*, au lieu de calmer le débat, ne fit qu'exacerber les positions. La disparition du Roi-Soleil, le 1er septembre 1715, fit espérer un apaisement. Pourtant, dès 1718, le Régent Philippe d'Orléans, excédé, obligea tous les membres du clergé à signer le formulaire et relégua les récalcitrants, qui se désignaient comme « appelants », dans leur diocèse. Sous Louis XV, la bulle fut même reconnue par le Parlement de Paris comme une loi d'État, le 24 mars 1730. Elle devint alors un instrument d'épuration du clergé. La congrégation de Saint-Maur se trouva prise dans les affrontements. Elle se divisa profondément entre partisans de la soumission et « appelants. » Cela dura jusqu'à la Révolution.

La communauté montoise semble avoir été atteinte par la contagion dès 1724. On vit alors les prieurs se succéder rapidement, sans aucune raison. Trois ou quatre « appelants » y étaient relégués. C'étaient tous des professeurs réputés qui avaient été relevés de leur charge. Ils ne tardèrent pas à user de leur influence sur leurs confrères. L'intransigeance se radicalisa au point que la situation du prieur, au chapitre de 1733, devint proprement intenable. Il fallut les disperser dans différentes maisons bénédictines et franciscaines. Loin de s'arranger, la situation s'exaspéra à tel point qu'en 1743 les jeunes en formation furent retirés. Rien n'était réglé pour autant, car les moines montois durent accueillir d'autres jansénistes, et en plus grand nombre au fur et à mesure que la répression se durcissait contre eux.

En 1759, il y avait une trentaine de relégués. La plupart étaient des moines de Saint-Maur. C'étaient, pour la communauté montoise, les cas les plus délicats, car les plus proches et souvent les plus véhéments. Des victimes de lettres de cachet vinrent encore grossir les rangs. Il est difficile de savoir pour quel motif précis ils étaient là. Certains avaient été déclarés fous par leur famille ; d'autres avaient eu, à un moment ou un autre, des comportements jugés scandaleux. Tous étaient ainsi soustraits à la justice ordinaire. Il n'est pas très facile non plus de se faire une idée exacte de leurs conditions de vie. Certes, ils étaient consignés dans l'abbaye, mais leur réclusion était assez lâche. Certains pouvaient sortir dans le village et même prendre part à la vie montoise. Les registres paroissiaux de l'époque mentionnent le nom de quelques-uns d'entre eux comme parrains de petits Montois ou témoins de mariage.

La littérature qui s'est emparée de leur cas a été souvent partisane et a fait par la part belle à une opinion romantique, encore répandue, à savoir que les pires geôliers, les plus pervers, furent les religieux. Le Mont avait, certes, sa légende noire, assez bien entretenue. Elle commence avec Louis XI qui y aurait fait placer une de ses « fillettes », une cage de fer suspendue à un crochet de façon à ce que le moindre mouvement du prisonnier la fasse osciller et compromette ainsi rapidement sa résistance mentale[1]. Les rares descriptions qui en ont été faites datent de 1776. Elles font plutôt penser à une pièce aménagée en cellule au moyen d'un bâti de bois renforcé par des plaquages de fer. Les *Mémoires* de Madame de Genlis ne sont pas pour rien dans la légende. L'auteur attribue au duc de Chartres, le futur Louis-Philippe, encore enfant, sa démolition. Plus tard les *Souvenirs* de

1. Cf. le cardinal de La Balue.

la marquise de Créquy, fussent-ils apocryphes, apportent un correctif aussi savoureux qu'intéressant : « Je me souviens très bien aussi du local où l'on avait tenu renfermé le *gazetier hollandais*[1] *;* mais je n'ai jamais compris comment Madame de Sillery[2] avait osé publier[3] que c'était une *cage de fer,* et qu'elle avait été démolie par son élève, le Duc de Chartres. C'était une grande chambre dont le plancher supérieur était soutenu par des poteaux, et je ne vois pas ce que M. le Duc de Chartres y pouvait démolir sans y faire tomber le plancher sur sa tête. C'est assurément une bonne œuvre que de chercher à faire valoir un prince français, mais encore faudrait-il s'astreindre à ne dire que la vérité. » D'après le plan établi en 1776, et reproduit en fac-similé par Sallez en 1909, cette « cage de fer » aurait été dans le logis de Robert de Torigni. À l'époque, et certainement depuis longtemps, cette partie de l'abbaye avait été délaissée. Elle était devenue propice à des installations d'isolement. Par rapport aux *in-pace* qui se trouvent à l'étage au-dessous, on peut dire qu'une cellule recouverte de planches représentait quelque humanité, en isolant un tant soit peu le prisonnier de l'humidité et du froid.

Avant la généralisation des lettres de cachet, et la répression antijanséniste dans la seconde moitié du XVIIIe siècle, le Mont semble avoir été le lieu de relégation de quelques ecclésiastiques. Le théologien Noël Béda,

1. Il s'agit de Victor de La Cassagne qui, sous le nom de Dubourg, publiait des pamphlets contre le roi et la Cour. Il fut arrêté en Hollande en 1745 par la police secrète et transféré au Mont. La tradition en a fait un pauvre père de famille nombreuse qui écrivait à sa femme des lettres déchirantes. Il était, en fait, célibataire. Il passait pour avoir séjourné dans la fameuse cage où il aurait été dévoré par les rats. Il est certain qu'il ne supporta pas le régime carcéral qui lui était imposé et dépérit rapidement. Les moines semblent l'avoir pris en pitié. Il mourut en 1746 et fut enterré dans le cimetière de la paroisse.

2. Alias Madame de Genlis.

3. Quarante ans après sa visite.

prêtre, syndic de la Sorbonne, y fut envoyé par François Ier, en 1534, à la suite des innombrables querelles qu'il entretenait avec le mouvement des Évangéliques dont faisaient partie plusieurs proches du roi, dont sa sœur, Marguerite d'Angoulême. Béda mourut au Mont en 1537. Mais le plus illustre de ces hommes d'Église fut, sans aucun doute, le patriarche arménien de Constantinople, Avedik Ier.

La plupart du temps, son cas est traité en deux lignes : il aurait tenu des propos qui avaient déplu à Louis XIV. En réalité, le Catholicos Avedik Yevtogiatsi était le patriarche arménien de Constantinople et de Jérusalem. Son autorité était considérable et s'exerçait bien au delà de sa communauté. Les patriarches grec et arménien étaient alors reconnus par la Sublime Porte comme chefs des deux grandes obédiences chrétiennes orthodoxes d'Orient. Cette division avait été établie sur la base non de la nationalité, mais sur celle de la profession de foi. Ainsi, tous les orthodoxes diophysites, qui reconnaissaient la validité du concile de Chalcédoine – Grecs, Bulgares, Serbes, Albanais, Valaques, Moldaves, Ruthènes, Croates, Caramaniens, Melkites et Arabes – furent rattachés, avec leurs chefs respectifs, à la juridiction du patriarche grec. Quant aux orthodoxes monophysites, antichalcédoniens – Arméniens, Syriens, Chaldéens, Coptes, Géorgiens et Abyssins – ils furent soumis, avec leurs chefs respectifs, au patriarche arménien. Les catholiques, comme les juifs, étaient considérés comme des étrangers et n'avaient pas de statut légal. À cette époque, l'Église arménienne était traversée, sous l'influence du théologien charismatique Mekhita, par de forts courants favorables au rattachement de leur Église à Rome. Louis XIV avait compris qu'il y avait là une possibilité d'accroître l'influence de la France en Orient, comme protectrice des Lieux saints. Il favorisa l'action des Capucins et des Jésuites au Moyen-Orient ; il ouvrit même sur le territoire français une école spécialisée qui formerait de jeunes Arméniens venus y étudier et qui, de retour chez eux, serviraient d'interprètes et surtout de propagandistes de la grandeur royale. C'est dans ce contexte que l'ambassadeur de France trouva en face de lui le Catholicos Avedik qui se montrait un adversaire déterminé. Il ne pouvait, en effet, se résigner à voir ses ouailles quitter le giron de l'Orthodoxie sans rien faire. En 1706, lors d'une des révolutions de palais, alors fréquentes à Constantinople, Avedik perdit son protecteur et fut envoyé en exil sur l'île de Chio. Saisissant l'opportunité de la traversée, Monsieur de Féréol, avec le concours des jésuites, escamota le patriarche et le fit emmener à Marseille dans le plus grand secret. Afin qu'il ne puisse entrer en contact avec des compatriotes qui auraient pu alerter les Églises d'Orient, le roi le fit transférer immédiatement au Mont-Saint-Michel.

Les moines ne savaient rien de leur hôte. Ils avaient simplement reçu la consigne d'assurer une surveillance étroite et de le bien traiter. On trouva, dans un monastère proche, peut-être à Saint-Malo, un moine qui pratiquait les langues orientales et qui put servir d'interprète au patriarche. Les Montois surent ainsi qui il était et purent apprécier son intelligence et sa culture. Il resta au Mont pendant trois ans, dans la tour Perrine ; de là, il fut emmené à Paris où il fut embastillé jusqu'en 1711. Pour lui accorder l'élargissement, on le somma de se convertir au catholicisme. Le roi espérait ainsi le discréditer auprès des siens. Le prélat obtempéra et fut même ordonné prêtre catholique, à Notre-Dame de Paris, par le cardinal de Noailles, ardent défenseur des jansénistes. Avedik trouva alors refuge auprès de Pétis de La Croix, un cadre de l'école qui formait les jeunes Arméniens à Paris. C'est dans sa maison, rue Férou, qu'il mourut quelques mois après. Pour éviter un incident diplomatique avec la Porte, Louis XIV informa le sultan de ce qu'il faisait diligenter une enquête sur la disparition du Catholicos. Il laissa entendre aux Turcs que les Espagnols, avec lesquels il était alors en guerre, seraient à l'origine de cet abominable forfait. Personne ne s'y trompa, mais ainsi vont les affaires du monde : la page fut tournée, sans trop de dégâts pour la politique française dans l'Empire ottoman.

La relégation, qui avait été, jusque dans les années 1750, relativement exceptionnelle devint le quotidien de l'abbaye, si on en croit le rapport d'un intendant de la maison : « Le Mont Saint-Michel paraît avoir été de tout temps une maison de force, où il n'y eut d'abord que trois ou quatre prisonniers d'État ; mais le nombre a successivement augmenté jusqu'à trente en 1759 ; les pensions y sont de 600 à 1200 livres, bien que les détenus soient mal nourris et abandonnés. »[1] Il semble donc que, dans la seconde moitié du XVIIIe siècle, la garde de prisonniers fût devenue une des tâches des moines. La garnison fournissait le personnel de sûreté.

Après la fermeture de la maison de formation, en 1743, la communauté vit son effectif se réduire à une douzaine de moines. Les pèlerinages cependant continuaient : un Anglais, Waxhall, dans ses mémoires, signale qu'en 1776 il avait entendu dire qu'environ dix mille pèlerins venaient chaque année au Mont, de la France entière. Le village connaissait une situation économique apparemment acceptable. Les registres paroissiaux fournissent, pour la période, assez d'indications pour qu'il soit possible de s'en faire une idée. Le centre de la vie économique restait l'abbaye. Bien que sous commende et toujours à la recherche de fonds, les moines devaient assurer l'entretien des bâtiments. Il n'est pas donc pas étonnant de trouver dans le village les corps de métier qui répondaient à ces besoins : maçons, menuisiers, couvreurs en ardoise, charpentiers, serruriers, vitriers, un maréchal-armurier, et même un architecte. À côté de ces entreprises, on trouvait encore des services : tisserand, cordonnier, tailleur, couturière, boulanger, meunier, boucher. Pour l'accueil des visiteurs

1. Dom CHAUSSY, Yves, *Dans la congrégation de Saint-Maur*, in *Millénaire…*, *op. cit.*, t. 1, p. 246.

et le logement des soldats, il y avait aussi des cabaretiers, des cuisiniers, un traiteur-aubergiste, un perruquier et un maître de poste. Des commerces de « quincaille » vendaient aussi bien des ustensiles de ménage et de l'outillage que des plombs de pèlerinage. Les métiers de santé étaient également présents avec une sage-femme et un chirurgien. Enfin il y avait des pêcheurs et des journaliers. Ces mêmes registres conservent des noms d'enseigne qui existent toujours : la Croix Blanche, le Saint-Michel, la Syrène, le Cheval Blanc, la Licorne, le Chapeau Rouge, la Coquille. Il en va de même pour certains patronymes : une femme Bedel était couturière, une Duval et une Anne Ridel, marchandes de rubans et de chapelets ; « la Sauvé » avait des journaliers, Pierre Poulard et Louis Duval étaient « bourgeois et pêcheurs ». Le nom qui revient le plus souvent est celui des Ridel. On connaît en effet, outre Anne, déjà mentionnée, un Alexandre qui, en 1788, faisait partie de la garnison. Mais il y eut surtout un Guillaume. Tenancier de la Licorne, il exerçait aussi la fonction de chirurgien-barbier à l'abbaye, auprès des « exilés ». À partir de 1760, il eut des relations extrêmement tendues avec les moines, au point de se retrouver emprisonné au château de Vincennes. Il avait été accusé de favoriser l'évasion de prisonniers dans l'exercice de ses fonctions. Il mourut dans sa geôle, le 12 décembre 1767.

Quand la Révolution éclata, l'abbé commendataire, le cardinal de Montmorency, venait de prendre possession de son bénéfice, le 2 mai 1788. Depuis 1621, année de l'arrivée des mauristes, jusqu'en 1788, l'abbaye avait eu quarante-cinq prieurs ; soixante-dix moines y étaient décédés ; douze y avaient fait profession. En juillet 1789, les moines étaient douze : le prieur François Maurice, le sous-prieur François Ragot, les frères Henri-Jean Dufour, Louis Levavasseur, Jacques Maurice, frère de sang du prieur, François Lesbeaupin, Louis Piscis, Claude Carton, Jean-Laurent Guéroult, Jean-Marie Lucquet, Pierre Latour et Martin-Chrétien Guéritault. Les vœux monastiques furent supprimés le 13 février 1790 et la vente des biens nationaux décrétée le 14 mars. Il restait encore deux internés qui furent bientôt élargis. Les officiers municipaux qui avaient été mis en place, à partir du 14 décembre 1789, montèrent à l'abbaye le 5 mai. Le maire, Natur, gendre de Guillaume Ridel, lui aussi chirurgien à l'abbaye, était accompagné de Blin et de Richard, ses adjoints, et de Leroy, le greffier. Ensemble, ils commencèrent l'inventaire des biens mobiliers et le poursuivirent jusqu'au 22 mai. Il venait compléter celui que deux orfèvres d'Avranches avaient dressé du trésor de l'église, le 10 février précédent. On sait ainsi que la bibliothèque contenait alors 4 819 volumes, tant manuscrits qu'imprimés. Ils recueillirent en outre les déclarations d'intention des moines. « Comme leur prieur, la plupart dirent qu'ils avaient lié leur sort à celui de la Congrégation. L'Assemblée ayant aboli celle-ci, ils choisissaient la liberté. »[1] Dom Ragot et dom Carton ne semblaient pas avoir vraiment réalisé la portée des événements ; ils déclarèrent vouloir se retirer dans les prieurés dont ils étaient titulaires, alors que ceux-ci n'existaient plus ! Ils étaient en plein désarroi.

Le trésor fut enlevé le 12 octobre 1791, et les métaux précieux récupérés. Les reliquaires, les vases sacrés et les ornements disparurent. Il ne reste plus que deux reliquaires, au trésor de l'église Saint-Gervais d'Avranches : celui des charbons de saint Laurent et celui de sainte Suzanne. Le crâne de saint Aubert fut épargné. L'église paroissiale du Mont réussit à conserver un reliquaire en bois doré, avec un fragment de la vraie croix. Les cloches furent enlevées de la tour le mois suivant, à l'exception de celle donnée par l'abbé Karq de Bebambourg, qui avait exercé la commende de 1703 à 1719. Elle fut laissée en place pour servir de signal aux imprudents qui s'aventureraient dans la grève par temps de brouillard. Elle se trouve encore aujourd'hui, solitaire, dans le clocher, où

1. Dom CHAUSSY, in *Millénaire...*, *op. cit.*, t. 1, p. 258.

elle remplit à nouveau son office premier. Les livres furent transportés à Avranches. Ils rejoignaient les dépouilles des autres abbayes de l'arrondissement, qui forment le fonds particulièrement riche de la bibliothèque municipale. Une fois le vide fait dans leur abbaye, les moines se dispersèrent. Les deux frères Maurice regagnèrent Chinon, leur ville d'origine. Dom Guéritault et dom Ragot moururent au Mont, l'un en juillet, l'autre en septembre 1790. Trois autres, Dom Dufour, Dom Carton et Dom Piscis restèrent dans le village, au moins jusqu'à la fin de 1792. Dom Lesbaupin, lui, devint un membre actif de la Révolution. Il dirigea, à Saint-Servan, l'hôpital de la Montagne, ci-devant monastère de Sainte-Croix. Dom Guérault, pour sa part, épousa Marie-Louise Pitel, à Plesder, en 1793. Ils eurent trois enfants. Il est émouvant de suivre cet épilogue d'une histoire plus que millénaire ; mais le plus étonnant assurément est qu'il se soit encore trouvé à ce moment-là des moines dans une maison où les conditions de vie étaient à ce point éloignées de l'idéal monastique.

Passés les premiers émois révolutionnaires, le Mont fut déclassé comme place de guerre, le 10 juillet 1791. L'abbaye fut néanmoins mise sous la garde de la troupe qui stationna sur le Rocher jusqu'au 1er octobre 1792. Les autorités de la Manche trouvèrent commode d'y enfermer des condamnés de droit commun ; en 1793 et 1794, ce fut le tour des prêtres réfractaires de la Manche et d'Ille-et-Vilaine. Ils y vécurent jusqu'à six cents, dans des conditions de détention effroyables. Rien, jamais, n'avait été prévu pour recevoir un si grand nombre de pensionnaires ; le ravitaillement, même minimal, devait poser des problèmes insurmontables. Jamais encore, dans toute son histoire, l'abbaye n'avait vu dans ses murs pareil rassemblement d'ecclésiastiques. Parmi eux, se trouva interné l'archevêque de Rennes, le citoyen, ci-devant monseigneur, Le Coz. Les Vendéens, lors de leur course désespérée vers Granville, ouvrirent les portes. Beaucoup des prisonniers profitèrent de l'aubaine pour entrer en clandestinité, mais bon nombre, trop âgés ou trop désespérés par la situation qui se profilait, restèrent sur place. Les derniers détenus de ce groupe furent libérés en 1795. Le Mont, ci-devant Saint-Michel, avait été rebaptisé Mont-Libre. En 1811, Napoléon Ier fit de l'abbaye une centrale de détention qui resta opérationnelle jusqu'à ce qu'elle soit fermée par Napoléon III en 1863.

ÉPILOGUE

LE MONT CONTEMPORAIN

À nouveau déserte, l'abbaye pouvait, peut-être, revenir à sa vocation première. Monseigneur Bravard, évêque d'un diocèse qui englobait maintenant Coutances, Avranches ainsi que les îles, entama des négociations auprès de l'empereur. Il obtint, en 1865, un bail de location pour une durée de neuf ans. Il se tourna d'abord vers les bénédictins et leur proposa de revenir dans leur ancienne abbaye, mais dom Guéranger, l'abbé fondateur de Solesmes, déclina son offre.

Le père Bravard avait participé, dans le diocèse de Sens, où il avait été ordonné prêtre, à la fondation d'une fraternité sacerdotale, les pères de Saint-Edme de Pontigny. Ce n'était pas, à proprement parler, une congrégation religieuse, mais une « société de vie apostolique ». Ses membres vivaient en commun, sans vœux particuliers, mais assuraient des tournées de missions qui avaient pour but de rechristianiser la France. Le père Muard, qui faisait également partie de ce groupe, fonda, pour sa part, l'abbaye de la Pierre-qui-Vire. En appelant au Mont ses anciens confrères de la confrérie, l'évêque de Coutances souhaitait initier une démarche similaire et rendre enfin l'abbaye à sa vocation première de monastère et de lieu de pèlerinage. C'est en 1869 que les pères s'installèrent dans ce qu'ils trouvèrent de logements encore habitables. Ils occupèrent ainsi les logis abbatiaux. Ils se révélèrent davantage éducateurs que contemplatifs. Rapidement, ils fondèrent une « école des beaux-arts », avec un atelier de sculpture et une fabrique de vitraux. Elle fut placée sous la direction de monseigneur Henri Philbert. Mais des travaux d'urgence s'imposaient. Or, les moyens manquaient. On se contenta, dans un premier temps, de nettoyer l'église ; puis on recouvrit les murs de la nef d'un enduit qui imitait la pierre et on la surmonta de voûtes d'arête en plâtre, dans le goût de l'époque. Un cache-misère, plutôt qu'une véritable restauration.

En 1873, l'évêque fit placer dans le transept nord la statue et l'autel de saint Michel qui se trouvent aujourd'hui dans la chapelle votive de l'église paroissiale. Le couronnement solennel de la statue, en 1877, devait marquer le renouveau des pèlerinages. Après la défaite de 1870, saint Michel devint une figure patriotique, mais dans une Troisième République traversée de courants anticléricaux puissants, il servit également de caution à ceux qui désiraient une restauration de la monarchie. Le cantique, composé pour l'occasion, est assez éloquent :

> « Saint Michel, à votre puissance,
> Nous venons demander l'appui
> des anciens jours.
> Qu'il monte jusqu'au ciel,
> Ce vieux cri de la France :
> Saint Michel, à notre secours. »

La suite du texte est tout aussi enflammée et recourt au vocabulaire de la chevalerie pour invoquer le « preux serviteur du Roi des rois ».

Dès 1869, la caserne des Fanils était devenue un orphelinat pour une vingtaine d'enfants. En 1875, les pères ouvrirent encore une école apostolique, sorte de petit séminaire pour assurer leur recrutement, dans ce qui deviendra la « Vieille Auberge ». Cette maison du village est encore surmontée d'un clocheton qui se voit des remparts. Les lois de Jules Ferry sur l'école apportèrent un coup d'arrêt à ces essais éducatifs. Les religieux quittèrent l'abbaye en 1880. Dès 1883, l'administration des Beaux-Arts commença à y organiser des visites pour un tourisme encore balbutiant, mais qui allait rapidement supplanter le pèlerinage. D'ailleurs, l'église fut désaffectée en 1884, avant l'expiration du bail qui courait jusqu'en 1886, mais qui ne fut pas renouvelé. Le culte de saint Michel fut alors transféré à la paroisse. Les efforts pour faire renaître la vie monastique dans l'abbaye avaient fait long feu. Les travaux de restauration, plus que jamais nécessaires, allaient pouvoir commencer. Pour cela, l'Administration, inquiète de l'état du monument, chargea en 1872 l'architecte Édouard Corroyer de dresser un état des lieux et de prendre les mesures d'urgence. Le Mont dans son ensemble était en piteux état : l'abbaye menaçait ruine et les remparts ne valaient guère mieux. Un décret du 20 avril 1874 inscrivit le Mont sur la liste des monuments nationaux.

Les pèlerinages se poursuivirent malgré tout, mais cette activité ne concernait plus l'abbaye. Ainsi, les fêtes du douzième centenaire de la fondation, qui se déroulèrent avec faste du 29 septembre 1908 au 16 octobre 1909, eurent lieu à la paroisse et sur l'esplanade aménagée pour l'occasion à la Croix de Jérusalem. Après la loi de séparation de l'Église et de l'État, plus aucun culte ne fut célébré dans l'église abbatiale jusqu'à ce que l'évêque du diocèse obtienne de venir y célébrer la fête de saint Michel, à partir de 1922.

La vie religieuse ne repartit durablement, dans l'abbaye, qu'à l'occasion du millénaire de l'arrivée des bénédictins au Mont en 966. Cet anniversaire donna lieu à une commémoration d'envergure qui marqua un tournant décisif dans la vie montoise. Yves-Marie Froidevaux avait déjà mené à bien son œuvre majeure en restaurant Notre-Dame-sous-Terre. Il avait eu la délicatesse d'y faire aménager une fosse dans laquelle reposent les restes des moines ou des prisonniers trouvés au cours des travaux, « dans l'attente de l'éternité », comme l'indique la plaque commémorative. En vue des fêtes de 1965-1966, il réalisa un nouveau maître-autel qui correspondît aux exigences toutes récentes du concile Vatican II. Il remeubla aussi le réfectoire. La commémoration de l'arrivée des bénédictins donna lieu, à la demande expresse de Malraux, alors ministre de la Culture, à des célébrations « à la hauteur du prestigieux monument ». Sous la direction du père Riquet, jésuite, et ancien déporté, les abbayes du Bec et de Saint-Wandrille en furent la cheville ouvrière. Il fut convenu que les moines reviendraient pour un an et occuperaient les logis abbatiaux. Ainsi, se succédèrent, autour d'un noyau stable formé du père Bruno de Senneville du Bec-Hellouin et du père Levasseur de Saint-Wandrille, quatre-vingt-deux moines de trente-deux abbayes. L'année fut inaugurée par une messe solennelle, en présence du Premier ministre Georges Pompidou. Au terme de l'année accordée aux moines, un imprévu se produisit : beaucoup de gens de la région se tournèrent vers l'évêque pour s'étonner de leur départ et réclamer leur maintien. Monseigneur Wicquart s'enquit, auprès de l'État, de savoir si l'expérience pouvait être prolongée. On trouva un terrain d'entente. Les religieux pourraient disposer des mêmes locaux et auraient la possibilité de célébrer la messe et les offices monastiques dans l'église abbatiale et certaines chapelles comme Notre-Dame-des-Trente-Cierges et Notre-Dame-sous-Terre. Une convention fut établie afin que tout soit bien précisé et elle fut assortie d'un bail qui fixait le montant d'un loyer, somme toute assez modeste, dont le diocèse devait s'acquitter. Les abbés bénédictins, auxquels il s'était d'abord adressé, déclinèrent tous l'offre de l'évêque. Il fallut beaucoup de détermination et de persévérance au père de Senneville pour venir s'installer, seul, en 1969, au Mont. Il fut rejoint, en 1973, par le père François Lancelot dont l'abbaye, à Boquen, avait été transformée en « communion », sous l'impulsion de dom Bernard Besret, avant d'être fermée, à la demande des évêques bretons. Sœur Marie-Françoise Béguin et sœur Marie-Thérèse Perrot arrivèrent peu après, puis le père André Fournier. Cette petite communauté eut jusqu'à neuf membres et fut confortée par un important réseau d'oblats. Elle avait pour vocation de vivre, dans les conditions qui étaient siennes, en conformité avec la règle de saint Benoît, d'assurer le service de la prière régulière par la célébration quotidienne des heures dans l'église abbatiale et d'accueillir les pèlerins et des retraitants. Ainsi, aux grandes fêtes, la nef retrouvait les foules d'antan.

En 2001, faute de relève, cette communauté fut remplacée par les Fraternités monastiques de Jérusalem. C'est une œuvre récente, fondée en 1975, par le père Delfieux, sous l'impulsion du cardinal Marty, archevêque de Paris. Celui-ci désirait que naisse une forme de vie authentiquement monastique et résolument priante au cœur de la ville. Une dizaine de ces frères et de ces sœurs furent envoyés au Mont. Ils vivent en deux communautés distinctes et se retrouvent trois fois par jour pour assurer, avec un souci très grand de la beauté de la liturgie, la prière « au cœur des masses », selon l'expression de leur prieur, le père François de Froberville. Mettant l'accent sur le retrait du monde et la solitude, ils trouvent, dans l'austérité de la vie en haut du Rocher, un endroit approprié à la radicalité de leur vie monastique. Une nouvelle greffe est ainsi entée sur un tronc millénaire qui plonge ses racines jusqu'aux temps de la première évangélisation de la région.

Depuis une cinquantaine d'années, quelque chose cherche à renaître. Discrètement, l'âme du Mont a retrouvé son abbaye. Elle se dresse comme une vigie qui indique à chacun un chemin vers soi-même et une direction vers un Autre. Qui vient au Mont, touriste ou pèlerin, s'il se laisse prendre par la magie du lieu, peut être conduit à faire une expérience intérieure : « Plus l'esprit, dans sa marche en avant, parvient, par une application toujours plus grande et plus parfaite, à comprendre ce qu'est la connaissance des réalités et s'approche davantage de la contemplation, plus il voit ce qui est invisible. Ayant laissé toutes les apparences, non seulement ce que perçoivent les sens, mais ce que l'intelligence croit voir, il va toujours plus à l'intérieur jusqu'à ce qu'il pénètre, par l'effort de l'esprit, jusqu'à l'invisible et l'inconnaissable. »[1] Tel est peut-être le secret ultime du Mont.

1. GRÉGOIRE DE NYSSE, « Homélie VIII sur le Cantique des cantiques », d'après la traduction de Jean Daniélou, in *La Colombe et la Ténèbre*, L'Orante, 1967.

CHRONOLOGIE

A) Des origines au début de la commende

MONT-SAINT-MICHEL	BRETAGNE ET NORMANDIE	FRANCE ET ANGLETERRE
V^{e}-VIe siècles		
	480-565 Pair et Scubilion évangélisent l'Avranchin.	Vers 480-490 Benoît de Nursie. Il meurt en 547.
		511-558 Règne de Childebert Ier, roi des Francs.
550-575 Premier établissement de moines au Mont sous la conduite de **Bainus**. Construction d'une première église dédiée à saint Michel.		
		575-596 Règne de Childebert II.
		Vers 590-604 Pontificat de Grégoire Ier le Grand.

VIIe siècle		
Construction d'une deuxième église dédiée à saint Pierre.	Début du VIIe siècle Potentin fonde un établissement colombanien du côté de Coutances. Vers 680 Rehentranus, évêque d'Avranches.	695-711 Règne de Childebert III.

VIIIe siècle		
708 Date traditionnelle de la fondation par saint Aubert du sanctuaire de saint Michel.		751-768 Règne de Pépin le Bref. 768-814 Règne de Charlemagne roi des Francs ; à partir de 800, empereur d'Occident.

IXe siècle		
816 Première rédaction de la *Revelatio*, à partir du petit récit source concernant Bainus.		814-840 Règne de Louis le Pieux. 817 Concile d'Aix-la-Chapelle.

	Vers 840 Jean Ier, évêque d'Avranches.	840-877 Charles le Chauve règne sur la Francie occidentale, la Neustrie et la Marche de Bretagne.
	846 Nominoé devient souverain de Bretagne.	
	857-874 Salomon est roi de Bretagne. Incursions des Bretons dans l'Avranchin.	
Avant 864 Mention du clerc Pierre. Réforme carolingienne à l'œuvre au Mont.		
Vers 867 Rédaction définitive de la *Revelatio* au profit de la figure de saint Aubert.	867 Salomon reçoit le Cotentin, l'Avranchin et les îles Anglo-Normandes, par le traité de Compiègne.	
Vers 868 Pèlerinage de Ratbert.		
Vers 870 Le moine Bernard au Mont.		
L'abbé est le Breton **Phinimontius**.		
La réforme carolingienne est achevée au Mont.		881-887 Règne de Charles le Gros.
		893-922 Règne de Charles le Simple.

xe siècle

	911 Traité de Saint-Clair-sur Ept.	
	911-927 Rollon, comte de Rouen, jarl des Normands.	923-936 Règne de Raoul.

	927-942 Guillaume Longue-Épée, comte de Rouen, jarl des Normands. 933 Rattachement des diocèses d'Avranches et de Coutances à la Normandie.	936-954 Règne de Louis IV d'Outre-Mer.
	939 Bataille de Trans. Les Bretons délogent les Vikings de la région.	
	943-996 Richard Ier, duc de Normandie.	954-986 Règne de Lothaire.
Vers 965 **Arrivée de Mainard** avec quelques compagnons. 966 Date traditionnelle de l'arrivée des Bénédictins au Mont. Mainard Ier, abbé jusqu'en 991. Construction de Notre-Dame-sous-Terre et d'une église abbatiale au sommet du Rocher.	990, Confirmation d'une donation à l'abbaye en présence des évêques bretons et du duc Conan Ier, prince des Bretons.	987-996 Règne d'Hugues Capet.
991-1009 Abbatiat de **Mainard II**.		
992 Premier incendie du monastère.		
	992 Mort de Conan Ier à Conquereuil et enterrement dans l'abbaye du Mont. 992-1008 Geoffroy Ier, duc de Bretagne. Après 992 Mariage au Mont de Geoffroy Ier, fils de Conan avec Havoise, fille de Richard Ier.	
	996-1026 Richard II duc de Normandie.	996-1031 Robert le Pieux de France.

XIe siècle

Vers 1000, un *modus vivendi* est trouvé entre l'abbaye et l'évêque d'Avranches, Norgod.	Vers 1000, mariage au Mont de Judith de Bretagne, sœur de Geoffroy et de Richard II de Normandie. 1008 Mort de Geoffroy et enterrement dans l'abbaye du Mont.	
1009 Mainard II doit démissionner du Mont. Il garde Redon. 1009-1024 Abbatiat d'**Hildebert**. 1023 Mise en chantier de l'église. 1024-vers 1026 Abbatiat de **Thierry**.	1008 Mainmise de la maison normande sur le duché de Bretagne.	
1028-1032 Abbatiat d'**Aumode**.	1027-1035 Robert le Magnifique.	1031-1060 Règne d'Henri Ier de France.
1033-1048 Abbatiat de **Suppo**.	1035-1087 Guillaume le Bâtard, duc de Normandie. Vers 1042, Lanfranc et Anselme sont à Avranches.	1042-1066 Règne d'Édouard le Confesseur sur l'Angleterre.
1048-1053 Abbatiat de **Raoul de Beaumont.**	1050 Le futur pape Alexandre II est étudiant au Bec-Hellouin.	
Vers 1055-1085, abbatiat de **Renouf**. 1058 Achèvement du chœur et de la croisée du transept. Début de la construction de la nef.		1060-1108 Règne de Philippe Ier de France. 1061-1073 Pontificat d'Alexandre II.

1084 Fin du chantier de l'église. 1085-1106 Abbatiat de **Roger Ier**.		1066 Guillaume le Conquérant devient roi d'Angleterre.
	1087-1106 Robert Courteheuse, duc de Normandie.	1087-1100 Guillaume II le Roux, roi d'Angleterre.
1091 Henri Beauclerc est assiégé au Mont par ses frères.		1095 Urbain II prêche la première croisade.

XIIe siècle

		1100-1135 Henri Ier Beauclerc, roi d'Angleterre et duc de Normandie.
1103 Effondrement du mur nord de l'église abbatiale.		
	1106-1135 Henri Ier Beauclerc, duc de Normandie.	
1106-1123 Abbatiat de **Roger II**. Voûtement de l'Aquilon et du Promenoir. 1112 Nouvel incendie. Début des travaux d'où naîtra le bâtiment du nord. 1124-1130 Abbatiat de **Richard de Méré**. 1131-1149 Abbatiat de **Bernard du Bec**. Il continue les travaux dans le bâtiment du nord.		1108-1137 Règne de Louis VI le Gros de France.
	1133 Érection du prieuré de Tombelaine.	
	1135-1144 Étienne de Blois, roi d'Angleterre.	1137-1180 Règne de Louis VII de France.
	1144-1150 Geoffroy Plantagenêt.	
1149-1150 Abbatiat de **Geoffroy**.		
	1150-1189 Henri II Plantagenêt.	
1154-1186 Abbatiat de **Robert de Torigni**.		1154 Henri II Plantagenêt monte sur le trône d'Angleterre.

1158 Louis VII de France et Henri II d'Angleterre viennent en pèlerinage. Thomas Becket est présent.		1159-1181 Pontificat d'Alexandre III. 1163 Concile de Tours. 1170 Assassinat de Thomas Becket.
1179 Bulle de confirmation des possessions de l'abbaye.		1180-1223 Règne de Philippe Auguste.
1187-1191 Abbatiat de **Martin de Furmendi**. 1192-1212 Abbatiat de **Jourdain**.	1189-1199 Richard Cœur de Lion. 1199-1204 Jean sans Terre.	1189-1199 Règne de Richard Cœur de Lion. 1199-1216 Règne de Jean sans Terre sur l'Angleterre.

XIIIe siècle

	1201 Mort de Constance de Bretagne à la naissance de la princesse Mathilde. 1203 Assassinat du jeune duc Arthur de Bretagne. Guy de Thouard exerce la régence au nom de sa fille Mathilde. 1204 Rattachement de la Normandie à la couronne de France.	
1204 Guy de Thouars assiège le Mont et met le feu. Grave incendie dans le village et l'abbaye.		
1211 Début des travaux de la Merveille. 1212-1229 Abbatiat de **Raoul des Îles**.		1215 Jean sans Terre est contraint de signer la Grande Charte, la *Magna Carta*.
1228 Fin des travaux de la Merveille.		1226-1270 Règne de Louis IX (Saint Louis).

1229 D'avril à juillet, Abbatiat de **Thomas des Chambres**.		
1229-1237 Abbatiat de **Raoul de Villedieu**.		
1237-1264 Abbatiat de **Richard Turstin**.		
Changement de l'entrée de l'abbaye.		1249-1253 Septième croisade.
Construction du Grand-Degré.		
En 1256 et en 1264, Louis IX vient en pèlerinage.		1270 Mort de Saint Louis à Tunis.
1264-1271 Abbatiat de **Nicolas Alexandre**.		1270-1285 Règne de Philippe III le Hardi.
1271-1279 Abbatiat de **Nicolas Fanigot.**		
1272 Pèlerinage de Philippe III le Hardi.		
1280 Abbatiat de **Renouf de Torigni**.		
1280-1298 Abbatiat de **Jean Le Faé**.		1285-1314 Règne de Philippe le Bel.
		1291 Fin de la huitième et dernière croisade.
1299-1314 Abbatiat de **Guillaume du Château**.		

XIVe siècle

1300 Nouvel incendie.		
		1309-1378 Les papes en Avignon.
1311 Pèlerinage de Philippe le Bel.		
1314-1334 Abbatiat de **Jean de la Porte**.		
		1327-1377 Règne d'Édouard II d'Angleterre.
1333 Pèlerinage des Pastoureaux.		
1334-1362 Abbatiat de **Nicolas le Vitrier**.		

		1337 Début de la guerre de Cent Ans. 1345 Bataille de Crécy. 1347-1350 La peste noire ravage l'Europe.
1350 Nouvel incendie.		
	1356 Les Anglais occupent Tombelaine.	
1362-1386 Abbatiat de **Geoffroy de Servon**.		1377-1399 Règne de Richard II d'Angleterre. 1378-1418 Grand schisme d'Occident. 1380-1422 Règne de Charles VI de France.
1386-1411 Abbatiat de **Pierre le Roy**.		
1393 et 1394 Pèlerinages de Charles VI.	Vers 1390, exécution sur place du dessin qui servira de base aux frères Limbourg pour réaliser, entre 1411 et 1416, la miniature qui se trouve dans les *Très Riches Heures du duc de Berry*.	1399-1413 Règne d'Henri IV de Lancastre.

xve siècle

1411-1444 Abbatiat de **Robert Jolivet**.		1413-1422 Henri V de Lancastre. 1415 Défaite française à Azincourt.
1420 Robert Jolivet passe aux Anglais. Le prieur Gonault devient administrateur de l'abbaye. 1421 Effondrement du chœur de l'église abbatiale.		1422-1466 Henri VI de Lancastre. 1422-1461 Règne de Charles VII de France.
	1423 Les Anglais reprennent Tombelaine et assiègent le Mont.	1429 Sacre de Charles VII.

		1431 Exécution de Jeanne d'Arc.
1434 Lord Scales donne l'assaut et est victorieusement repoussé. Capture de deux bombardes par les Montois. 1444-1483 Abbatiat de **Guillaume d'Estouteville**, premier abbé commendataire. 1446-1523 Reconstruction du chœur.	1450 Fin de la présence anglaise en Normandie.	
		1453 Fin de la guerre de Cent Ans. 1461-1483 Règne de Louis XI.
1462, 1467, 1472 Pèlerinages de Louis XI.		1469 Louis XI fonde l'ordre des Chevaliers de Saint-Michel.
		1483-1498 Règne de Charles VIII de France.
1483-1500 Abbatiat d'**André de Laure**. 1487 Pèlerinage de Charles VIII.		1491 Anne de Bretagne épouse Charles VIII.

XVIe siècle

1500-1511 Abbatiat de **Guillaume de Lamps**. 1501 Pèlerinage d'Anne de Bretagne. 1509 Nouvel incendie. 1511-1514 Abbatiat de **Guérin de Laure**. 1514-1523 Abbatiat de **Jean de Lamps**, dernier abbé régulier.		
		1515-1547 Règne de François Ier.

1518 Pèlerinage de François Ier.		1516 Le concordat de Bologne permet la mise en place du régime de la commende.

B) **À partir des abbés commendataires.** Pendant la commende, l'autorité s'exerce par les prieurs claustraux. Le Mont a alors perdu tout rôle à l'extérieur du Royaume.

ABBÉS COMMENDATAIRES	PRIEURS CLAUSTRAUX	ÉVÉNEMENTS
	XVIe siècle	
1524-1543 Abbatiat de **Jean le Veneur**.		1532 Second pèlerinage de François Ier. 1534-1537 Exil de Noël Béda au Mont.
1543-1558 Abbatiat de **Jacques d'Annebault**.		1547-1559 Règne d'Henri II.
1558-1570 Abbatiat de **François Le Roux**.	Avant 1570 Sébastien Ernault. 1570-1594 au moins Jean de Grimouville.	1558 Calais redevient français. Il n'y a plus d'Anglais sur le continent. 1560-1574 Règne de Charles IX. 1562-1598 Les guerres de Religion.
1570-1587 Abbatiat de **Arthur de Cossé**.		1574-1589 Règne d'Henri III.
1588-1615 Abbatiat de **François de Joyeuse**.		1577, 1589, 1591, 1598 Les huguenots tentent de prendre d'assaut le Mont et l'abbaye.
		1589-1610 Règne d'Henri IV. 1594 Nouvel incendie.

XVIIe siècle

	1603-1606 Gilles de Verdun.	1610-1643 Règne de Louis XIII.
	1614-1617 Guillaume du Chesnay.	
1615-1641 Abbatiat **d'Henri de Lorraine**.	1618-1621 Noël Georges. 1621 Élection d'Henri du Pont. 1622 Concordat pour l'arrivée des mauristes.	1615 Pierre de Bérulle, fondateur de l'Oratoire est nommé administrateur de l'abbaye.
	1623 Charles de Malleville. 1624 Placide de Sarcus. 1628 Bède de Fiesque. 1633 Michel Pirou. 1636 Bernard de Jevardac.	1622 Installation des mauristes par l'évêque d'Avranches. 1633-1640 Présence de dom Jean Huynes.
1641-1643 Abbatiat de **Ruzé d'Effiat**.	1642 Dominique Huillard.	
1643-1670 Abbatiat de **Jacques Souvré**.	1645 Dominique Huillard.	1643-1715 Règne de Louis XIV. 1646-1648 Présence de dom Thomas le Roy.
	1648 Charles Rateau. 1651 Dominique Huillard. 1654 Placide Ghassinat. 1657 Auguste Moynet. 1663 Arsène Mancel.	De 1651 à 1743 Le Mont devient maison d'étude.
1670-1703 Abbatiat d'**Étienne Texier d'Hautefeuille**.	1666 Mayeul Gazon. 1671 Jean Godefroy. 1672 Pierre Chérot. 1675 Laurent Huanault. 1678 Michel Briant. 1679 Philippe Rousseau. 1681 Guillaume Derieux. 1684 Pierre Terrier. 1687 Joseph Aubrée. 1690 Henri Fermelis. 1693 Antoine Fournel. 1696 Jean Lorier. 1699 Joseph Miniac.	1666 Destruction des fortifications de Tombelaine.

XVIIIe siècle

1703-1719 Abbatiat de **Johann Friedrich Karq de Bebambourg**.	1702 Julien Doyte. 1708 Magloire Loz. 1711 André Le Maistre. 1714 Joseph Miniac. 1717 Benoît Petit. 1720 Joseph Castel.	1706 Enlèvement du Catholicos Avedik Ier et transfert au Mont jusqu'en 1709. 1713 Bulle *Unigenitus*. 1715-1774 Règne de Louis XV.
1721-1766 Abbatiat de **Charles-Maurice de Broglie**.	1723 Guillaume Romain. 1726 Léon Le Chevalier. 1733 Noël Le Goux. 1739 Pierre Martin. 1742 Hyacinthe Briancourt. 1745 Philippe Le Bel. 1751 René Bizien. 1754 Jean Fresnel. 1757 Joseph Surineau. 1763 Jean-François Louason.	1745 Victor de la Cassagne, dit « Dubourg » est emprisonné au Mont.
1766-1769 Abbatiat d'**Étienne-Charles de Loménie de Brienne**.	1766 Joseph Surineau. 1772 Charles de La Passeix.	1766 Nouvel incendie, démolition des trois dernières travées de la nef et construction de la façade néo-classique. 1774-1792 Règne de Louis XVI.
1788, Abbatiat de **Louis-Joseph de Montmorency-Laval**.	1778 Louis Mathurin Gautron. 1783 François Maurice. Il reste prieur jusqu'à la dispersion des moines.	1789 Prise de la Bastille. 1790 Abolition des ordres religieux ; les moines quittent l'abbaye. 1793 L'abbaye devient prison, pour le clergé réfractaire en particulier.

XIXe siècle		
		1811-1863 L'abbaye est une centrale pénitentiaire. 1869-1880 Présence des Pères de Saint-Edme dans l'abbaye et le village. 1874 Classement du Mont comme monument historique.

XXe siècle		
		1965-1966 Commémoration du millénaire de l'arrivée des bénédictins.
	1969-1984 Bruno de Senneville, prieur régulier.	1969 Fondation dans l'abbaye d'une communauté de type bénédictin par le père Bruno de Senneville. 1969-2001 Présence dans les Logis abbatiaux de la communauté monastique.
	1984-2001 André Fournier, prieur régulier.	
	2001 François de Froberville, prieur régulier.	2001 Arrivée de la fraternité monastique de Jérusalem.

BIBLIOGRAPHIE

— BAZIN, Germain : *Le Mont-Saint-Michel. Histoire et archéologie, de l'origine à nos jours*, nouvelle édition, New York, 1978.

— BOSSEBŒUF, Louis : *Le Mont-Saint-Michel au péril de la mer. Son histoire et ses merveilles*, Tours, Imprimerie Tourangelle, 1910.

— CHÉDEVILLE, André, TONNERRE, Noël-Yves : *La Bretagne féodale, XIe-XIIIe siècle*, Éditions Ouest-France, Rennes, 1987.

— DECAËNS, Henry : *La Belle Époque au Mont-Saint-Michel*, Éditions Ouest-France, Rennes, 1985.

— DECAËNS, Henry : *Le Mont-Saint-Michel, 13 siècles d'histoire*, Éditions Ouest-France, Rennes, 2008.

— DÉCENEUX, Marc : *Le Mont-Saint-Michel pierre à pierre*, Éditions Ouest-France, Rennes, 1996.

— DOSDAT, Monique : *L'enluminure romane au Mont-Saint-Michel*. Avranches, Bibliothèque municipale, Éditions Ouest-France, Rennes, 2006.

— GOUT, Paul : *Le Mont-Saint-Michel, histoire de l'abbaye et de la ville*, Culture et Civilisation, Bruxelles, 1979.

— GUILLIER, Gérard : *Nous avons bâti le Mont-Saint-Michel*, Éditions Ouest-France, Rennes, 1983.

— GUILLOTEL, Hubert, CHÉDEVILLE, André : *La Bretagne des saints et des rois*, Éditions Ouest-France, Rennes, 1984.

— LABLAUDE, Paul-André : *Le Mont-Saint-Michel, Citadelle de l'Archange*, Nathan, CNMHS, 1991.

— LE ROY, Thomas : *Les curieuses recherches du Mont-Saint-Michel*, E. de Robillard de Beaurepaire, Caen, 1878.

— LEFEUVRE, Jean-Claude : *La baie du Mont-Saint-Michel*, Actes Sud, 2008.

— LEGROS, Jean-Luc : *Le Mont-Saint-Michel dans l'histoire*, Cancale, Éditions du Phare, 2001.

— LEGROS, Jean-Luc : *Le Mont-Saint-Michel, architecture et civilisation*, CRDP Basse-Normandie, Charles Corlet, 2005.

— LELOUP, Daniel : *Le village du Mont-Saint-Michel. Histoire d'un patrimoine mondial*, le Chasse-Marée, Douarnenez, 2004.

— LESERVOISIER, Jean-Luc : *Les manuscrits du Mont-Saint-Michel*, Éditions Ouest-France, Rennes, 1996.

— MAUXION, André : *Découvrir la baie du Mont-Saint-Michel*, Éditions Ouest-France, Rennes, 1996.

— MIGNON, Olivier : *À la découverte du Mont-Saint-Michel*, Siloë, 1999.

— MOUTON, Jean-Pierre, MIGNON, Olivier : *Le Mont Saint-Michel*, Atelier, 1997.

— NORTIER, Geneviève : *Les bibliothèques médiévales des abbayes de Normandie*, chapitre III : *la Bibliothèque du Mont-Saint-Michel*, Revue Mabillon, n° 189, juillet-septembre, 1957, p. 135-157.

— ROBERT de TORIGNI : *Chronique*, Léopold Delisle, Caen, 1872.

— SIMONNET, Nicolas : *La fondation du Mont-Saint-Michel d'après la* Revelatio ecclesiae sancti Michaelis, Annales de Bretagne et des Pays de Loire, Presses universitaires de Rennes, 1999, t. 106, n° 4, p. 7-22.

— SIMONNET, Nicolas : *Saint Aubert ou comment le Mont devint normand*, Les Amis du Mont-Saint-Michel, 2002, n° 107, p. 31-35.